Beppe Severgnini

Italiani di domani

Otto porte sul futuro

Rizzoli

Prima edizione: ottobre 2012
Seconda edizione: dicembre 2012
Terza edizione: dicembre 2012

Realizzazione editoriale: Studio Editoriale Littera, Rescaldina (MI)

Italiani di domani

I libri di Beppe Severgnini

Per Antonio, che compie vent'anni

La fortuna di vivere adesso
questo tempo sbandato

Ivano Fossati, *Una notte in Italia*

Apertura

Tutte le «T» del tempo che viene

Estate 1977, sei ventenni italiani dall'Atlantico al Pacifico, nell'autoradio sempre la stessa canzone, *Don't Stop* dei Fleetwood Mac.

> *Don't stop thinking about tomorrow*
> *Don't stop it'll soon be here*
> *It'll be better than before*
> *Yesterday's gone yesterday's gone.*

> Non smettete di pensare a domani
> non smettete presto sarà qui
> sarà qui sarà meglio di prima
> ieri se n'è andato ieri se n'è andato.

Non ho cambiato idea, da quel primo viaggio in America. *Don't stop thinking about tomorrow*, non smettete di pensare a domani. Qualunque cosa accada, il mondo va avanti, e l'Italia è parte del mondo. Una parte importante, profumata, inconfondibile: per questo abbiamo tanti occhi addosso. Cerchiamo di smentire chi ci sottovaluta e di non deludere chi ci stima. Nessun governo l'ha mai proposto, nessun Parlamento l'ha mai votato: ma è un bel programma, che inizia da ciascuno di noi.

Detto ciò, ve lo prometto: eviterò i sermoni e l'auto-

11

biografia. Insieme alla bici da corsa, alla cucina gourmet e allo spettacolo delle ragazze d'estate, costituiscono le tentazioni di chi ha i capelli metallizzati. Troverete, nelle prossime pagine, solo pochi ricordi: se li ho utilizzati è per aiutare chi legge, non per consolare chi scrive. E nessun paternalismo, spero. Noi siamo la generazione cui ancora rubavano l'autoradio: il rischio esiste. Sulla gente che offre buoni consigli quando non può più dare cattivi esempi sono state scritte memorabili canzoni: direi che basta così. L'esperienza è un antipasto preparato da qualcun altro. Si può assaggiare o rifiutare, e in ogni caso non bisogna consumarne troppo.

Il libro che state per leggere non è riservato ai laureati, ai ventenni o ai giovani: categoria vasta, generica e insidiosa. Anche se è nato nelle università – come spiegherò alla fine – *Italiani di domani* è destinato a chi vuole provare a ragionare sul proprio futuro, e magari a cambiarlo. Se vogliamo riprogrammare noi stessi e il nostro paese – brutto verbo, bel proposito – dobbiamo continuare a provarci, anche quand'è finito il tempo epico della gioventù.

Nelle prossime pagine troverete otto passaggi; se preferite, otto chiavi per il futuro. Ognuno contiene altrettanti sottopassaggi. Otto è un numero sensuale e simmetrico: non piace solo ai cinesi, che di queste cose se ne intendono. Sono le otto T del tempo che viene: prendetele o scartatele, tutte o in parte. Se le scartate, però, pensate perché lo fate. È comunque un buon esercizio.

1 TALENTO – SIATE BRUTALI

La ricerca del proprio talento non è soltanto una forma di convenienza e un precetto evangelico: è una prova di buon senso. Scoprire ciò che siamo portati a fare – qual è la nostra attitudine o predisposizione – richiede tempo; e non risolve i nostri problemi di lavoro, realizzazione personale o inserimento sociale. Però aiuta.

Se il vostro talento corrisponde alla vostra passione, tanto meglio. Se così non fosse, siate onesti – anzi, spietati – con voi stessi. Ricordo quanto mi piacesse giocare a calcio, da ragazzo. Correvo, contrastavo, crossavo, rientravo. Purtroppo, non possedevo la combinazione di intuizione, fantasia e tecnica che vedevo in alcuni avversari e compagni di squadra. Riconoscevo intorno a me il talento, ed ero abbastanza onesto – o non così sciocco – da ammetterlo: potevo mettere in campo solo la mia buona volontà, e non bastava. Sui giornali, oggi, leggo colleghi che scrivono come io calciavo al volo di sinistro.

2 TENACIA – SIATE PAZIENTI

L'invito alla pazienza è fuori moda, lo so. Chiamatela tenacia, allora. È l'abilità di identificare un obiettivo e inseguirlo. È la capacità di tener duro. È l'abitudine alla fatica. È la forza di sopportare un capo insopportabile. È la calma con cui si cercano i risultati, sapendo che occorre seminare per raccogliere. E non basta: occorre conoscere semente e terreno. Vengo da molte generazioni di agricoltori: questo aspetto non mi può sfuggire.

Solo la costanza dei comportamenti produce risultati. Le cose buone fatte saltuariamente servono poco. Su noi italiani pende il sospetto metodico dell'inaffidabilità. Siamo i campioni mondiali del bel gesto, che richiede generosità e teatralità. Siamo meno bravi nei buoni comportamenti, che impongono metodo e coerenza.

Il talento non basta: occorre tenacia. Tra una persona talentuosa senza tenacia e un'altra tenace, ma senza talento, sarà quest'ultima a ottenere i risultati migliori.

3 TEMPISMO – SIATE PRONTI

Talento e tenacia non sono sufficienti, bisogna possedere il senso del tempo. La consapevolezza che le cose cambiano, e noi cambiamo con le cose. I californiani Byrds (*Turn! Turn! Turn!*), l'argentina Mercedes Sosa (*Todo cambia)* e il greco Eraclito (*Sulla natura*), in fondo, ci dicono la stessa cosa.

> Non si scende mai due volte nello stesso fiume; nulla è perenne, tranne il cambiamento.[1]

Il mutamento dev'essere visto come un'opportunità, non una fonte d'ansia. Il tempismo – la capacità di cogliere il momento – è una qualità; l'opportunismo, un difetto. Il tempismo è la virtù di chi guarda il mondo che gli gira intorno, e trova l'attimo e il modo per salire a bordo. L'opportunismo è il vizio di chi pretende il turno, e non si diverte nemmeno.

La scaramanzia è stupida, ma le coincidenze sono stupende. Poiché giochiamo con le T, quindi, ricordate i Treni che Transitano. C'è chi li prende in corsa, e chi non li vede nemmeno se gli si fermano davanti e spalancano le porte. Per rimanere a bordo, poi, occorre essere buoni passeggeri. Anzi, passeggeri utili. Quando l'occasione arriva, bisogna farsi trovare pronti. Conoscere una tecnica, una disciplina, un'arte, un meccanismo, un mezzo, uno strumento, una lingua: tutto serve, e qualcosa si rivelerà indispensabile. Tecnica e perizia sono vocaboli desueti; ma saper fare le cose, al momento giusto, non passerà mai di moda.

4 TOLLERANZA – SIATE ELASTICI

Quante volte usiamo espressioni come «assolutamente sì», «sicuramente», «senza dubbio»? Troppe, probabilmente. Coltivate le sfumature, tollerate l'imperfezione, modificate gli obiettivi. Quando i fatti cambiano, è sciocco non cambiare opinione. Ha scritto il poeta Valerio Magrelli: «Talvolta bisogna saper scegliere il bersaglio dopo il tiro».[2]

Accettate i compromessi: ma non tutti e non sempre. Talvolta sono l'unica alternativa al conflitto. Ma devono essere decorosi. Vi chiederete: qual è il metro di giudizio? Semplice: se diventassero pubblici, non devono mettervi in imbarazzo. Ecco perché i compromessi della politica – pensate a certe nomine e a certi accordi – sono spesso sbagliati: perché sono irriferibili.

La tolleranza è come il vino: un po' fa bene, troppa è dannosa. Un eccesso che ha indebolito l'Italia, e rischia ancora oggi di portarci a fondo. L'indulgenza riservata agli amici, la severità invocata per gli avversari, l'abitudine a considerare fisiologici comportamenti patologici. Il mondo dell'università e del lavoro sono pieni di brutte abitudini, accettate silenziosamente, quasi per stanchezza. Quando il malcostume viene reso pubblico, si passa dalla rassegnazione all'indignazione. Ma passa in fretta anche quella. Costa fatica.

5 TOTEM – SIATE LEALI

Alzate un totem, e restategli fedeli.

Stabilite le vostre regole: non si ruba, non si mente, non si imbroglia. L'elenco non è poi così lungo. Non spetta a un libro – di sicuro non a questo – decidere quante e quali regole: l'importante è averne, e rispettarle. Diffidate di chi s'appella all'etica e si fa scudo con la religione: guardate cosa fa, non cosa dice di voler fare. «Il fine giustifica i mezzi» può essere un (imperfetto) riassunto del pensiero di Niccolò Machiavelli. Di sicuro, Gesù Cristo non l'ha mai detto.

L'Italia non cambierà finché migliaia di voi, italiani di domani, non verranno da migliaia di noi – i vostri padri e le vostre madri, i vostri datori di lavoro, i vostri superiori – a dire: «Così non si fa». Un figlio che entra in una stanza, si chiude la porta alle spalle e pronuncia queste quattro parole vale più di qualsiasi magistrato, carabiniere, finanziere, consulente, editorialista e confessore.

Il peccato più grave è convincervi dell'inutilità dell'onestà.

6 TENEREZZA – SIATE MORBIDI

Perfino gli economisti, introducendo il concetto di GNH (*Gross National Happiness*, felicità interna lorda), hanno capito che il benessere collettivo non si riduce ai numeri. Dipende da molti altri fattori, che si possono riassumere nel concetto di qualità della vita. Un'area dove noi italiani godiamo di molte fortune (storiche, geografiche, climatiche, artistiche, alimentari e caratteriali). Sembrano essere gli stranieri, tuttavia, a capirlo più in fretta.

Pensare come Leonardo. L'autore, Michael J. Gelb, racconta di aver studiato il metodo del genio toscano; e lo riassume in sette princìpi (i nomi sono in italiano anche nell'originale):

*Curiosità – Un'insaziabile ricerca della conoscenza e
    del miglioramento
Dimostrazione – La capacità di imparare dall'espe-
    rienza
Sensazione – Affinamento dei sensi
Sfumato – Gestione dell'ambiguità e del cambiamento
Arte/Scienza – Capacità di utilizzare l'intero cervello
Corporalità – Forma fisica e mentale
Connessione – Capacità di pensare per sistemi*[3]

L'infatuazione rinascimentale dell'autore è evidente, e alcuni di questi princìpi sono conosciuti. Meno noto, forse, è come Leonardo coltivasse i propri sensi. Li definiva «i ministri dell'anima», li considerava fondamentali per arricchire l'esperienza. «Allenava la propria attenzione come un atleta olimpico allena il suo corpo» racconta Gelb. E ricorda come il genio italiano scrivesse: la persona media guarda senza vedere, sente senza ascoltare, tocca senza sentire, respira senza percepire i profumi, mangia senza gustare, parla senza pensare.

Cinquecento anni dopo, non vorrete commettere gli stessi errori?

7 TERRA – SIATE APERTI

Gli intolleranti, spesso, sono soltanto ignoranti. Non dispongono di termini di paragone, giudicano il mondo chiusi nel loro angolo. La possibilità di confronto è una ricchezza, una gioia e una fortuna. Insegna la prospettiva, i modelli e le relazioni. Essere aperti è un vantaggio; e non costringe a dimenticare le proprie origini, come pensa qualcuno. «Un paese ci vuole, non fosse che per il gusto di andarsene via. Un paese vuol dire non essere soli...» scriveva Cesare Pavese, uno da non perdere mai di vista.[4]

David Brooks, celebre *columnist* del «New York Times», ha assistito a un concerto di Bruce Springsteen a Madrid e si è stupito di trovarsi fra migliaia di giovani spagnoli che gridavano «*Born in the USA!*».[5] Poi ha capito. Il successo internazionale di Springsteen dipende dalla capacità di ricordare sempre chi è, da dove viene, cosa lo ha formato e lo ha ispirato. I ragazzi, le strade e le notti del New Jersey sono universali perché il Boss è rimasto un prodotto locale. Potremmo dire, se l'espressione non fosse abusata: non ha perso le proprie radici.

Vale per lui, vale per voi, vale per tutti. Se siete attirati dal mare aperto del mondo, andate. Partite. Scappate. Ma ricordate che una nazione, una regione, una città, un quartiere, una scuola, un'associazione, un gruppo di amici e una famiglia sono il porto da cui siete partiti; e dove, magari, tornerete. Anche nomadi e marinai hanno patria.

8 TESTA – SIATE OTTIMISTI

I motivi per essere pessimisti ci sono sempre. Anche quelli per essere ottimisti. È una questione di atteggiamento. Anzi, di testa. Guardate la storia recente: i vostri nonni, bene o male, hanno ricostruito l'Italia; ma i vostri genitori – la mia generazione – non hanno agito con altrettanta lungimiranza. Abbiamo arredato il paese per starci comodi, senza pensare al futuro e senza badare a spese. La fattura, adesso, è nelle vostre mani.

Motivo per essere ansiosi, irritati e delusi? Certamente. Ma ansia, irritazione e delusione non portano lontano. Un consiglio, quindi, che è anche una preghiera: siate indulgenti, e tirate diritto. Se vogliamo restare all'allegoria marinara del passaggio precedente: le recriminazioni sono àncore nella sabbia, impediscono di prendere il largo. Le generazioni (gli imperi, le nazioni, i governi, le aziende, le famiglie, le coppie) si perdono per sufficienza, mollezza e cattive abitudini. Non a causa delle tempeste. Questa non è una giustificazione per noi, ma potrebbe essere una (piccola) consolazione per voi.

Portate talento, tenacia, tempismo e tolleranza in ciò che fate. Difendete i vostri ideali, guardate la vita con ironia, non dimenticate chi siete e da dove venite. Portate per il mondo quel «sentimento italiano senza nome» (Goffredo Parise) che ci rende speciali.[6]

Soprattutto, non diventate cinici. I protagonisti delle moderne tristezze italiane, trent'anni fa, erano come voi: terminavano gli studi, iniziavano a lavorare, annusavano il futuro, avevano la luce negli occhi. Allora volevano cambiare il mondo. Oggi, al massimo, l'automobile. Se è di servizio, meglio.

Ripeto: voi non potete sognare, voi dovete farlo. Questo è l'unico ordine. Gli altri erano solo consigli.

1

Talento

Siate brutali

Non tutti possiamo tutto
Virgilio, *Bucoliche*

1.1 Cercate di capirvi

Amavo e praticavo almeno dieci sport, da ragazzo. Non mi piaceva solo giocare a calcio: mediano destro, ruolo di molta fatica e scarsa fantasia. Mi appassionavano lo sci, il tennis, il ping-pong, la corsa, il salto in alto, la pallavolo, la pallacanestro, il motocross, il nuoto e la pesca subacquea. Li ho praticati tutti – almeno una volta – a livello agonistico, con risultati inversamente proporzionali all'entusiasmo, che era grande.

Mi piaceva anche disegnare, ma in classe erano tutti più bravi di me: in seconda media, ho rischiato un esame di riparazione per indisciplina cromatica. Avrei voluto cantare, ma ero stonato: in qualunque coro – dal catechismo in poi – venivo invitato a farmi da parte. Sognavo di suonare uno strumento, ma ogni anno venivo promosso al primo corso di chitarra; mi sono ritirato quando l'insegnante mi ha chiesto le corde del Mi cantino (che rompevo regolarmente) per tagliare il taleggio.

Però sapevo scrivere. Mi piaceva farlo, e mi accorgevo d'essere più convincente con una penna in mano che con una palla o uno strumento davanti. Alle medie, scrivevo fumetti e aspettavo con gioia il giorno del compito d'italiano, tra compagni di classe increduli. Tenevo il «quaderno di caccia» negli scout e il «diario di bordo» nei primi viaggi con gli amici. Al liceo, contribuivo a preparare i volantini, lavorando di Olivetti e ciclostile. Durante il servizio militare scrivevo lettere d'amore alle fidanzate degli altri, su richiesta degli interessati. Ho corteggiato, in quel modo, ragazze in diverse regioni d'Italia. Le risposte non lasciavano dubbi: la sintassi, almeno quella, era seducente.

Tutti sappiamo fare qualcosa, nessuno sa fare tutto. L'importante è capire cosa potremmo fare meglio e, anche per questo, faremmo volentieri.

Pensate al talento sociale. La capacità di lavorare in un gruppo, e di portarvi armonia, è fondamentale in ogni organizzazione. Nel suo libro *Intelligenza sociale*, Daniel Goleman scrive: «L'architettura sociale del cervello intreccia la via alta e la via bassa. [...] Concentrandosi su una visione dei rapporti umani puramente cognitiva, si trascurano doti non cognitive essenziali quali l'empatia primaria e la sincronia, e si ignorano qualità come la sollecitudine».[1] È un'attitudine che andrebbe segnalata in qualsiasi curriculum, indicando le relative esperienze (gruppi sportivi, volontariato, oratorio, scoutismo). Ma pochi lo fanno.

Tutti possediamo uno o più talenti: bisogna capire come valorizzarli. Per valorizzarli, tuttavia, occorre riconoscerli. E, per riconoscerli, occorre evitare le interferenze della passione. Talvolta amiamo attività per cui non siamo portati. Non è grave. Basta saperlo. Magari tenerle come occupazioni per il tempo libero; e puntare altrove quando si tratta di scegliere un mestiere.

Quand'è possibile coniugare passione e professione, però, bisogna provare. Il primo passaggio, come dicevo, è obbligato. Bisogna riconoscere il proprio talento, oppure trovare l'onestà d'ammetterlo: quel talento non ce l'ho. Operazione brutale, ma necessaria. Per un motivo pratico. Anzi, due.

Primo motivo: là fuori c'è gente che svolge volentieri un'attività per cui è predisposta. Se nel vostro bagaglio manca la combinazione di questi due elementi – passione e attitudine – non potrete competere; l'entusiasmo è importante, ma non basta. Vi aspetta una vita lavorativa complicata, e piena di frustrazioni.

Secondo motivo: utilizzare il proprio talento è una gioia; ed è un piacere vederlo riconosciuto. Due forme di gratificazione che vanno ben oltre la carriera. Svegliarsi al mattino e affrontare un lavoro che si detesta è un ergastolo in libertà: non condannatevi da soli.

1.2 *Non date retta ai nostalgici*

All'inizio del 2012 Thomas Friedman scrive sul «New York Times» un pezzo intitolato *Average is Over*, la media è finita. Esordisce con un aneddoto, tratto da un saggio di Adam Davidson sull'«Atlantic»: «Una filanda moderna ha bisogno solo di due addetti: un uomo e un cane. L'uomo deve dar da mangiare al cane e il cane è lì per impedire all'uomo di avvicinarsi ai macchinari».[2]

Aneddoto paradossale, ma utile a Friedman per arrivare alla sua tesi. In passato un lavoratore con competenze medie, svolgendo un lavoro medio, poteva ottenere un salario medio. Oggi la media non c'è più. *Average is over*. «Essere medi oggi non porta i benefici d'una volta. Non può accadere, visto che i datori di lavoro hanno abbondanza di mano d'opera straniera a buon mercato, di robotica a buon mercato, di software a buon mercato, di automazione a buon mercato, perfino di genio a buon mercato.»

Il sistema economico internazionale non è più omogeneo, come un tempo: l'Occidente si trova ad affrontare sfide nuove. Ognuno di noi deve capire quale potrebbe essere il suo contributo originale, il valore aggiunto che lo distingue e gli permette di trovare spazio sul mercato del lavoro.

Il modo di renderci, se non indispensabili, almeno utili. Se lo scopriremo, con ogni probabilità avremo un lavoro, una retribuzione e un futuro soddisfacente. Se rifiutiamo di riconoscere le forze in campo, prepariamoci ad amare sorprese.

Non credete ai nostalgici, agli autarchici e agli ideologi della stagnazione: il mondo, indietro, non torna. Possiamo indirizzarlo, però, nella giusta direzione. Occorrono memoria, fantasia e realismo. Molti dei settori in espansione – dalla genetica all'enogastronomia, dalla robotica a internet mobile – rispondono a bisogni primari dell'uomo: vivere, nutrirsi, risparmiare sforzi, informarsi. La difesa a priori di un'industria – dei relativi prodotti e posti di lavoro – è anacronistica. «Se i cavalli avessero potuto votare» conclude sarcastico Tom Friedman, «non ci sarebbero mai state le automobili».

Certo, l'alternativa esiste: cercare un impiego che non richieda né talento né passione. Non sarà facile trovarlo: questi mestieri diventano ogni giorno più scarsi, e pagano poco. Nell'industria manifatturiera americana, dal 2001 al 2011, sono stati persi 5,4 milioni di posti di lavoro.[3] In Italia è andata un po' meglio: forse perché l'industria italiana, con tutte le sue carenze, fornisce ancora un extra (pensate alla specializzazione dei distretti industriali, o al successo delle nuove reti di imprese).

Cose risapute? Ma di qui bisogna partire, invece d'invocare il buon tempo andato (che spesso non era così buono) e sognare un'impossibile autosufficienza nazionale. Cercate di comprendere cosa potreste fare bene. *Average is over*, per voi come per tutti: l'impegno, da solo, non basta più. Dovete individuare il vostro talento e capire come usarlo. Perché qualcun altro, state certi, capirà come usare il suo.

1.3 Ricordate Charles Marlow

Molti datori di lavoro si lamentano: i ragazzi di oggi sono supponenti, pensano che un titolo di studio abbia consegnato loro le chiavi del futuro. Non sono d'accordo. Dovessi indicare un errore di chi cerca un'occupazione, direi invece: eccessiva umiltà.

Un atteggiamento comprensibile, figlio del momento economico e della rassegnazione. Si riassume in una frase: «Posso fare di tutto!». Disponibilità lodevole: ma si dà per scontata. Oggi i datori di lavoro intelligenti (ci sono anche gli altri) chiedono – anzi, pretendono – idee, proposte, iniziative. Vogliono la prospettiva dei vent'anni, diversa da quella dei cinquant'anni. Non necessariamente migliore: ma può portare a cose nuove.

Esiste un dividendo della gioventù, come esiste un tornaconto della maturità. Il problema italiano è che non siamo riusciti a combinare i due elementi, come altre società, nella storia, sono state capaci di fare (dai greci di duemila anni fa ai tedeschi di oggi). I nuovi temono il potere dei vecchi; e i vecchi diffidano dell'intraprendenza dei nuovi. La somma delle due paure conduce alla paralisi.

I migliori capi che ho avuto, in trent'anni di professione, avevano questa caratteristica: riuscivano a scoprire le qualità di ognuno, spesso prima dei diretti interessati. Li ho soprannominati «Dickens». *Grandi speranze* sui sottoposti, e spesso venivano esauditi. I capi meno bravi erano, invece, concentrati su se stessi: le qualità che sapevano valorizzare erano le proprie (talvolta neppure quelle). Li ho chiamati «Thackeray»: amavano allestire la loro *Fiera delle vanità*. L'unico che riusciva a combinare le due caratteristiche – molto Dickens e un tocco di Thackeray – era Indro Montanelli, vanitoso altruista di genio.

Visto che parliamo di letteratura inglese dell'Ottocento: se dovessi suggerire una lettura a un giovane neo-assunto, sceglierei *Gioventù*, racconto autobiografico di Joseph Conrad, scritto nel 1898. È la storia di una disgrazia fortunata: un ossimoro, apparentemente. Un ufficiale ventenne al primo imbarco, Charles Marlow, si ritrova alle prese con un incendio a bordo. Il comandante, dopo varie peripezie, ordina di abbandonare la nave, e gli affida la più piccola delle scialuppe.

Per il giovane Marlow è il primo comando. L'eccitazione e il coraggio sono più forti della paura, e la gioia si trasforma in estasi quando, un mattino, dopo giornate ai remi e notti d'ansia, si ritrova davanti, per la prima volta, la costa dell'Asia.

And this is how I see the East. I have seen its secret places and have looked into its very soul; but now I see it always from a small boat, a high outline of mountains,

blue and afar in the morning; like faint mist at noon;
a jagged wall of purple at sunset. I have the feel of the
oar in my hand, the vision of a scorching blue sea in
my eyes. And I see a bay, a wide bay, smooth as glass
and polished like ice, shimmering in the dark. A red
light burns far off upon the gloom of the land, and the
night is soft and warm.

Ed è così che vidi l'Oriente. Ho visitato i suoi luoghi segreti e scrutato nel profondo della sua anima; ma ora lo vedo sempre da una piccola barca: un alto profilo di montagne, azzurre e remote al mattino; una nebbiolina a mezzogiorno; una frastagliata muraglia di porpora al tramonto. Ho la sensazione del remo nella mano, la visione di un mare blu bruciante negli occhi. E vedo una baia, una grande baia, liscia come il vetro e lucida come il ghiaccio, scintillare nel buio. Una luce rossa brucia in lontananza contro l'oscurità della terra, e la notte è morbida e calda.[4]

Un giorno – almeno uno – della vostra vita professionale dovrete sentirvi così. Se non accade chiedetevi perché. Forse il vostro talento non sta sul mare, forse eravate montanari e non l'avete capito.

1.4 Non sottovalutate il frullatore

Chi si è laureato in Italia nel 2000, nel 2005 guadagnava in media 1500 euro al mese. Chi si è laureato nel 2006, oggi porta a casa 1250 euro; lavorasse in Germania, salirebbe a 2285 euro. I giovani italiani che hanno trovato un impiego in Italia, a un anno dalla laurea, sono scesi del 7 per cento (tra il 2009 e il

2012). Il calo delle iscrizioni universitarie – meno 15 per cento tra il 2004 e il 2011 – mostra un cambiamento demografico (meno diciannovenni), ma rivela anche la scarsa fiducia delle famiglie nello studio come mezzo di avanzamento sociale.[5]

Posso dirlo? Sbagliano. Se un ragazzo ha voglia di studiare, ed è portato per gli studi, non deve farsi spaventare. Per il bene suo e nostro. L'università è un investimento su se stessi. E, insieme alla scuola pubblica, resta l'ultimo grande frullatore sociale, capace di mescolare redditi, censo e geografia. Se si ferma, siamo spacciati.

È vero: i giovani connazionali hanno motivo di protestare. «Uno spreco di risorse che li avvilisce e intacca gravemente l'efficienza del sistema produttivo» ha riassunto Mario Draghi, il presidente della Banca centrale europea.[6] Studiare, tuttavia, paga ancora, anche in senso letterale. Meno di ieri, però paga. «Non bisogna guardare solo le retribuzioni iniziali» spiega Andrea Cammelli, presidente di AlmaLaurea. «Se consideriamo l'intera vita lavorativa, un diplomato guadagna 100 e un laureato 155.»[7]

Voi direte: d'accordo, studiare. Ma dove, quanto, cosa? Semplifico (e mi scuso).

DOVE In una buona università lontano da casa (a 19 anni fa bene!). Vivere e studiare in una T Town (Trieste, Trento, Torino) o in una P City (Pavia, Pisa, Parma, Piacenza, Padova, Perugia, Palermo) cambia la prospettiva. Una laurea al Politecnico di Milano ha lo stesso valore legale di una laurea all'università di Piripilli: ma un valore intellettuale, morale, sociale, pratico ed economico molto diverso. Le «università tascabili» fondate per accontentare sindaci, governatori, partiti, movimenti e docenti hanno il destino segnato.

QUANTO Con impegno, e ragionevole urgenza. I «fuori corso» sono malinconiche figure del Ventesimo secolo. Deve studiare chi sa farlo e ha voglia di farlo. Le università sono laboratori per il cervello, non parcheggi per natiche stanche. L'istituto del «fuori corso» è un'anomalia, e va corretta: non solo aumentando le tasse universitarie. Andare fuori corso un anno è comprensibile; di più no, salvo casi particolari (studenti-lavoratori, studi all'estero, emergenze familiari o di salute). È con questi «casi particolari» che la pigra retorica italiana s'è fatta scudo, quando il sottosegretario Michel Martone, mesi fa, se n'è uscito con l'infelice battuta sugli «sfigati» (sta' al governo, giovanotto, non al Bar Centrale!).[8]

COSA Quello che volete. Rifiutate la domanda, cara ai genitori, «Quale facoltà offre più opportunità di lavoro?». Tutte ne offrono, se avrete attitudine, grinta ed entusiasmo. Nessuna ne offre, se vi rassegnate alla mediocrità. Scegliere per esclusione – magari giurisprudenza, rifugio degli indecisi – è una follia. Nei concorsi e negli studi professionali troverete ragazze e ragazzi che quella facoltà l'hanno scelta per passione e predisposizione; e vi faranno a fette. Un destino da salami, interamente meritato.

1.5 Non sopravvalutate il dottore

Detto ciò, non sopravvalutate la laurea. È un primo traguardo, ma la corsa è appena iniziata. In Italia, come sapete, il titolo più abusato e frainteso è «dottore». Se pensate che vi garantisca il valore aggiunto di cui parlavamo, ripensateci.

Un tempo esageravano solo i posteggiatori («Dottore, indietro senza paura!»). In futuro la confusione sarà generalizzata. L'annuncio «Dottoressa, le stanno portando via la macchina», in un ristorante, provocherà una sommossa: solo la cameriera resterà dov'è, e forse nemmeno lei. Nei ristoranti, oggi, lavorano molti laureati. Finché potranno: al MIT hanno elaborato *Presto!*, un'applicazione per iPad che connette il cliente con la cucina (permette di scegliere, ordinare, specificare, pagare, e la ricevuta verrà inviata a casa via e-mail).

Il percorso universitario detto «3+2» ha introdotto nuove qualifiche accademiche. Il titolo di «dottore» spetta, come sapete, ai possessori della laurea triennale. Chi prosegue gli studi e consegue la laurea magistrale e il dottorato di ricerca avrà diritto, rispettivamente, alla qualifica di «dottore magistrale» e di «dottore di ricerca».

Tutto bene, quindi? Siamo giunti alla pacificazione sociale nel segno del «dottore»? Temo di no: il titolo è inflazionato a causa di scadenti università locali e dubbie iniziative online. Il sottile classismo italiano, state certi, troverà altre strade.

I dottori di ricerca scopriranno che il titolo (sudato) è comune, e cominceranno a far seguire il nome dalla sigla «PhD», in stile anglosassone. Anche i dottori magistrali vorranno distinguersi. Il titolo spetta a chi ha completato il ciclo 3+2 e a chi «ha conseguito la laurea con gli ordinamenti didattici previgenti al decreto 509/1999». Pensate a tanti cinquantenni, costretti a terminare studi mediocri da genitori esasperati, improvvisamente insigniti del titolo di «dottore magistrale»! Se avessero senso dell'umorismo, dovrebbero ridere. Non escludo, invece, che corrano a ordinare la carta intestata.

Con tre diverse categorie di «dottori» (più i medici, poveretti, che dottori sono davvero), la nazione barocca darà il meglio di sé. Le persone importanti nasconderanno il titolo accademico (e poi cadranno malamente, accettando d'essere chiamate «vip»). Il dottor Rossi di Milano e il dottore (con la «e») Russo di Napoli, come al solito, metteranno in anticamera il diploma di laurea incorniciato. Ma più di tutti si divertiranno gli stranieri. Da tempo sospettavano che il prefisso «dott.», davanti al nome di una persona, indicasse che quella persona era italiana. Ora ne hanno la prova. Un tempo eravamo «il bel paese là dove 'l sì suona» (Dante Alighieri). Oggi, dopo le riforme accademiche, siamo «il paese (un po' meno bello) là dove riecheggia il dott.».[9]

1.6 Diffidate dei cattivi inutili

Per scoprire i propri talenti non è mai troppo tardi e non è mai troppo presto. Lo abbiamo visto: occorre cercare un'occupazione per cui sentiamo una predisposizione e scegliere studi universitari adeguati. Ma è bene iniziare per tempo, durante le scuole superiori. Con qualche aiuto, ovviamente.

Gli aiuti, purtroppo, scarseggiano. E molti abbandonano. Secondo l'Istat, 52.000 ragazzi si sono iscritti a una scuola secondaria ma non hanno portato a termine l'anno scolastico 2011/2012. Tra il 2004 e il 2010 i giovani italiani che, dopo la licenza media, non hanno conseguito un diploma o altre qualifiche professionali sono stati il 19 per cento del totale (al Sud il 22 per cento). La media europea è 14 per cento. A Milano, in sette anni, 700 studenti hanno lasciato il liceo classico «Berchet». Troppi. L'abbandono è un fallimento multiplo: della scuola, della famiglia e dell'interessato – scegliete voi l'ordine.

Perché accade? Carlo Pedretti, preside del liceo classico «Parini» di Milano, vede tre cause principali: «Primo, elementari e medie non preparano ai licei. Secondo, le famiglie valutano in modo inesatto le inclinazioni dei figli. Terzo, alcuni professori bastonano troppo».

Il primo punto è, purtroppo, corretto. Troppi ragazzi hanno problemi di matematica, di grammatica, di analisi logica e del periodo.

Il secondo punto è innegabile. Spesso noi genitori riversiamo sui figli ricordi, sogni e desideri, dimenticando che i tempi sono cambiati, le scuole pure, i ragazzi anche. Diamo la precedenza alle nostre aspirazioni, e non accettiamo che il loro talento possa puntare altrove. Quanti professionisti e imprenditori sono disposti ad accettare che i figli adolescenti abbiano una predisposizione per la recitazione, la musica o la ristorazione?

Soffermiamoci, tuttavia, sul terzo punto: l'eccessiva severità dei professori.

Ho la sensazione che alcuni insegnanti si compiacciano della reputazione di «cattivi». Un tempo il ruolo era riservato a un personaggio, burbero ed eccentrico: la severità diventava macchiettistica, i ragazzi la metabolizzavano facilmente. Oggi il fenomeno si è diffuso, anche tra gli insegnanti giovani e capaci. Non capiscono che umiliare un ragazzo con voti infimi è crudele

(4 non basta? Perché 2 o 3?)? Che trasformare i compiti in classe in momenti di terrore è assurdo? Che caricare un quindicenne di compiti a casa, e tenerlo impegnato quattro/cinque ore ogni pomeriggio, è sadico?

È passato molto tempo e, come dice Francesco Guccini, le cose nel ricordo poi si sfumano. Ma i miei cinque anni alle superiori sono stati diversi. Crema, liceo-ginnasio «Alessandro Racchetti». Studiavamo, discutevamo di politica, giocavamo a calcio e a pallavolo, ci divertivamo e ci innamoravamo. Oggi vedo uscire certe facce, dalla mia vecchia scuola: mettono tristezza.

Sbaglierò, ma un bravo professore riesce a cavare oro da qualunque sasso. Se non è proprio oro, sarà argento: l'importante è trovarlo. Un insegnante è un minatore di talento. Non ha il diritto di estrarlo: ne ha il dovere. Ha di fronte gli stessi ragazzi, giorno dopo giorno. Sa dove cercare, se ha voglia di farlo.

Ho avuto la fortuna di imbattermi in una persona così, al ginnasio e al liceo: si chiamava Paola Cazzaniga Milani, è scomparsa da poco. Italiano, latino e greco. A lei dobbiamo molto, in tanti. Aveva capito come tutti, nella classe, fossimo diversi. Ognuno con le sue qualità, le sue inclinazioni e le sue insicurezze. Non aveva un programma, la signora Milani; ne aveva venticinque, quanti eravamo. Sapeva che l'università, il lavoro e i casi della vita ci avrebbero selezionati e dispersi. Lei voleva farci crescere. I professori cattivi, quasi sempre, sono cattivi professori.

1.7 Attenzione agli strangolatori

Non sto cercando la benevolenza di nuovi lettori, e non sto idealizzando una generazione: le cene eleganti di Arcore erano piene di giovani, e così le curve alcoliche di certi stadi. Forse, nella mia difesa di chi viene dopo, c'è anche l'egoismo di chi è nato prima. Vorrei vedere mani forti e nuove, sul volante italiano. Anche perché non mi dispiacerebbe rimanere a bordo ancora per qualche tempo, se c'è posto.

Mi rendo conto che la mia generazione, davanti alle novità, si comporta come i gatti quando si spaventano: sbuffa e rizza il pelo. Lo vedo accadere spesso, negli ultimi tempi. Persino al Festival del Giornalismo di Perugia mi è capitato di sentire autorevoli colleghi che cercavano di convincere gli ascoltatori che le novità portate da internet saranno la tomba del mestiere. Per fortuna i ragazzi presenti non si lasciavano convincere. Anzi, negli inesistenti cimiteri del giornalismo ci farebbero volentieri un picnic, se gli lasciassimo un po' di spazio sul prato.

Il talento individuale è importante; scoprirlo è fondamentale. Ma esistono circostanze oggettive che rischiano di rendere questa scoperta inutile. Il peso demografico delle nuove generazioni, infatti, si riduce. È uno spostamento carico di conseguenze. Gli anziani elettori – in aumento – si dimostreranno lungimiranti, e sceglieranno partiti e programmi che investono sul futuro? Non penseranno invece, per prima cosa, a se stessi? Credo di conoscere la risposta: è uguale alla vostra.

Nel 1991 la fascia d'età 16-30 contava quasi 13 milioni e mezzo di persone, in Italia, mentre la fascia 60-74 arrivava a poco più di 8 milioni. Oggi il rapporto di forze si è rovesciato: la fascia 16-30 è scesa a 9,7 milioni, quella 60-74 è salita a 9,8 milioni. Se però togliamo i giovani stranieri e i 16-17enni italiani che ancora non votano, il numero degli under-30 scende:

solo 7,5 milioni.[10] Un peso relativo tra i più bassi del mondo, ricorda Alessandro Rosina, demografo.

Che si fa? Si concede il voto agli stranieri nati in Italia, come molti suggeriscono e qualcuno teme? Si abbassa l'età del voto a 16 anni? Si abbattono gli anacronistici requisiti per l'elettorato passivo (25 anni alla Camera, 40 anni al Senato), caso unico in Europa? Oppure – sentite questa – si attribuisce ai genitori un voto extra per ogni figlio minorenne (proposta di Luigi Campiglio, autore di *Prima le donne e i bambini*)?[11] Soluzione radicale, certo: ma qualcosa bisogna fare, e in fretta. L'alternativa l'ha brutalmente riassunta Martin Wolf sul «Financial Times»: «Permettere che gli anziani strangolino le società in cui vivono».[12]

Dimenticavo: tra poco avrò un'età da strangolatore. Ma non è un'attività per cui mi sento portato, o di cui andrei orgoglioso.

1.8 Occhio al trucco, signorine

Conoscete la serie televisiva *Mad Men*? Racconta l'ambiente dei pubblicitari di Madison Avenue a New York, negli anni Sessanta: un mondo duro, maschile e sessista. Perché non proporre una nuova serie, ambientata nel mondo del lavoro italiano? *Mad Women*, che tradurremo: donne arrabbiate. Perché diciamolo: dovreste esserlo, voi lettrici di questo libro.

Non lo scrivo per altruismo, per cavalleria o per conformismo. Lo dico per egoismo: il che, se volete, è molto maschile. Rinunciare alle donne vuol dire, infatti, rinunciare a uno speciale talento: empatia, fantasia e realismo, in una combinazione ignota a noi uomini. Un talento che vi ha condotte al successo dovunque, in tutti i campi. Solo gli incarichi direttivi, dove conta più la cooptazione della selezione, vedono ancora una prevalenza maschile (parlamenti, consigli di amministrazione, direzioni, presidenze).

Nell'Unione europea, la percentuale femminile ai vertici aziendali negli ultimi anni è cresciuta solo dello 0,6 per cento. Un'inezia. Di questo passo, spiega la commissaria Viviane Reding, ci vorrebbero quarant'anni per raggiungere un equilibrio di genere. Oggi in Europa le donne occupano solo il 13,7 per cento delle poltrone direttive. In Italia scendiamo al 4 per cento per le imprese e al 5 per cento nelle università.[13]

«Quote rosa» è un'espressione irritante: sembra evocare i diritti inalienabili delle Barbie. E rappresenta, senza dubbio, una forzatura. Indispensabile però «come rimedio (temporaneo) capace di scuotere il sistema di potere e di promuovere mutamenti in società bloccate», scrive Barbara Stefanelli (prima vicedirettrice nella storia ultracentenaria del «Corriere della Sera»).[14] La legge 120/2011 (in vigore da agosto 2012), proposta dalle parlamentari Lella Golfo e Alessia Mosca, impone che gli organi sociali delle società quotate in scadenza dovranno essere rinnovati riservando almeno un quinto dei posti alle donne; in seguito, si salirà a un terzo. Per una volta, l'Italia precede e non insegue.

Le donne italiane rappresentano il 60 per cento dei laureati, ottengono il titolo più in fretta e con risultati in media più brillanti.[15] Una scalata sicura verso la parità, in teoria. Ma l'Italia, quando si mette d'impegno, è brava a evitare l'inevitabile. «Se queste ragazze non riescono a rendere al loro paese quello che il paese ha dato permettendogli di studiare, di laurearsi e magari di prendere un dottorato di ricerca, vuol dire banalmente che il paese è in perdita» scrive Ilaria Capua in *I virus non aspettano. Avventure, disavventure e riflessioni di una ricercatrice globetrotter.*[16]

Le quote rosa e gli auspici, però, non bastano. Molte di voi, in tutti i campi, lavorano duro e sanno cosa vogliono; ma il modello che inseguono è, sostanzialmente, maschile. Orari maschili, agende maschili, viaggi maschili, rituali maschili, carriere maschili sancite da titoli maschili (presidente, amministratore, revisore, professore). Una vita incompatibile con la famiglia, i figli e i genitori anziani, se non a prezzo di enormi sacrifici personali. Anzi: di eroismi. Non a caso, le italiane senza un impiego fuori casa sono il 46,4 per cento: siamo al ventisettesimo posto in Europa, dietro di noi solo Malta e Grecia.[17]

Non solo. Per chi lavora scatta la meritocrazia all'italiana, che l'economista Luigi Zingales, docente all'università di Chicago e autore di *Manifesto capitalista*, riassume ferocemente così: «Il processo di selezione dei talenti è così marcio che nel Belpaese molte persone, soprattutto donne e dotate della capacità di essere manager, sono confinate al ruolo di segretaria. Mentre i posti dirigenziali sono affidati a chi è ben introdotto, anche se spesso incapace. Per questo in Italia ci sono le migliori segretarie e i peggiori manager».[18]

C'è chi non si scoraggia, e va applaudita. Ancora Ilaria Capua: «Oggi non è indispensabile immolare la propria vita di donna, la maternità o i colori e i giochi della vita, ma è possibile trovare una via di mezzo. [...] Certo, riuscire a conciliare la donna di famiglia, che qui chiameremo lato A, con il lato B, ovvero la gratificazione professionale che ha spesso una ricaduta sul bene comune, non è facile. Non mi sembra utile soffermarmi qui sugli stereotipi, peraltro tutti veri, intorno alle difficoltà che incontrano le donne nel nostro paese quando decidono di avere un bambino».

E se invece ci soffermassimo? Usando magari le parole dell'autrice: «Mancano le strutture, gli incentivi, il supporto sociale; la gestione del bambino è molto impegnativa, sia dal punto di vista economico sia da quello del tempo e delle energie, e tutto ricade sulle spalle delle famiglie, quando non su quelle delle sole mamme». Solo un dato: il 76 per cento del lavoro familiare, ancora oggi, è a carico della donna, anche se ha un'occupazione fuori casa.[19]

La società italiana è consapevole della situazione, ma non l'ha ancora metabolizzata. Prendete questa affermazione: «Per il suo lavoro, ha sacrificato la famiglia». Fosse riferita a un uomo, la reazione più comune sarebbe: «Che coraggio!». Fosse riferita a una donna, diventerebbe: «Che coraggio...». È la punteggiatura che fa la differenza. Il punto esclamativo segnala l'ammirazione; i puntini di sospensione, la diffidenza. Che coraggio... Come può, una donna, trascurare la famiglia?

Anne-Marie Slaughter è un po' enfatica, ma appare sincera quando scrive per l'«Atlantic» *Why Women Still Can't Have It All,* perché le donne ancora non possono avere tutto.[20] Uno sfogo che ha provocato molte reazioni, negli Stati Uniti. Ms. Slaughter, prima donna a ricoprire l'incarico di direttore della pianificazione politica per il Dipartimento di Stato, ha lasciato dopo due anni. Per non perdere la cattedra a Princeton, forse. Ma soprattutto – assicura – perché non se la sentiva di restare lontano durante l'adolescenza dei figli, nonostante l'aiuto del marito.

L'autrice lascia intendere – senza falsa modestia, da brava americana – d'essere una persona eccezionale:

eppure non ce l'ha fatta a combinare carriera e famiglia, a quel livello professionale. E ricorda che le motivazioni delle donne come lei – nate negli anni Cinquanta e Sessanta, segnate dall'esperienza e dall'eredità del femminismo – sono superiori a quelle delle donne più giovani, nate negli anni Settanta e Ottanta. Queste ultime potrebbero decidere, se non si cambia il modello di carriera, di chiamarsi fuori. Alcune di voi lo stanno già facendo.

Riassumendo: a noi uomini si chiede di essere bravi, a voi donne di essere eroiche. È una corsa truccata.

2

Tenacia

Siate pazienti

*«Potreste dirmi, per favore, da che
parte dovrei andare?» chiese lei.
«Dipende molto da dove vuoi arrivare» disse il gatto.*

Lewis Carroll,
Alice nel paese delle meraviglie

2.1 Non lasciatevi derubare

Londra è la città al mondo, dopo Crema, in cui ho vissuto più a lungo; e tra le due, come sapete, c'è differenza. Sono arrivato per «il Giornale» di Montanelli, avevo 27 anni. Il biglietto da visita diceva «London Bureau Chief». In effetti non c'era alcun ufficio da condurre, né personale da dirigere. Ero solo, con un piccolo compenso che comprendeva stipendio, affitto e spese.

Dividevo la casa con un'amica inglese impegnata col partito laburista e una scultrice di famiglia aristocratica che inseriva martelli nel muro del salotto (era un'installazione, come ho scoperto dall'urlo d'artista appena ho cercato di usarne uno). Al piano terra lavorava un riparatore di tappeti egiziano, immerso in fumi sospetti fin dal mattino. 14 Rudloe Road, Clapham South SW12, stessa strada del cantante Bob Geldof. Ogni tanto lo vedevo passare: era l'unico più spettinato di me.

L'anno dopo mi sono trasferito al 20, Lansdowne Crescent W11, un seminterrato a Notting Hill. Era il 1985, quattordici anni prima del film omonimo: il quartiere era ancora rampante e ruspante. Lavoravo in un'estensione sul retro, affacciata sul giardino comune. Spacciata per uno studio, era in effetti un ripostiglio: gelido d'inverno, soffocante d'estate. Tenevo i ritagli di giornale su un carrello portavivande comprato usato a cinque sterline (ce l'ho ancora) e la Olivetti Lettera 32 su un tavolo sotto la finestra. Non avevo armadi: appendevo gli abiti ai chiodi sul muro. Cenavo, con la rivista «Time Out» e una mezza bottiglia di vino *retsina* davanti, da Savvas, ristorante greco-cipriota vicino alla metropolitana. Andavo a vedere i turisti il sabato mattina a Portobello Road, contento di non essere uno di loro.

Un giorno mi sono trovato davanti alla porta i soci del Jimi Hendrix Chicago Fan Club, con tanto di autobus e documentazione fotografica: apparentemente, abitavo nell'ultima dimora conosciuta del loro idolo. Un passato rock di cui andavo confusamente orgoglioso, anche se a quei tempi preferivo gli Style Council. Quando i miei genitori sono venuti a trovarmi, per poco mamma Carla non scoppia in lacrime: «Mio figlio vive in un sottoscala!». «Mamma» le spiegavo, «non è un sottoscala, è un *basement*.» Ma lei vedeva la spazzatura davanti alla porta, e non era convinta.

In Italia, in questi anni, si è parlato di bamboccioni, e qualcuno li difende, sostenendo che sono un simbolo del realismo nazionale (vivere vezzeggiati fino a quarant'anni, senza pagare l'affitto). Io dico a mamme e papà: cacciateli di casa. Non tra un mese: domani. Altrimenti li derubate, prima dei sogni; e poi di ricordi come i miei.

2.2 Non fatevi usare

Non ho esordito con questa storia per dimostrare d'esser stato coraggioso. Sono stato, invece, fortunato. Diciamo che ho provato a meritarmi quella fortuna: lavorando dodici ore al giorno per pochi soldi, lasciando a casa la laurea in legge e un papà notaio assai perplesso. Mi è costato? Per niente.

Qualcuno mi aveva chiesto uno sforzo, e aveva il diritto di farlo: perché puntava su di me, rischiando qualcosa. Tanti datori di lavoro, oggi, chiedono molto ai ragazzi; ma investono poco, pagano pochissimo e rischiano nulla. Tanti capi non stimolano, non incoraggiano, non spiegano; però pretendono.

Il problema non è soltanto italiano. Dovunque esistono capi irragionevoli, autoritari, insensibili e disinteressati ai collaboratori; specializzati in bei discorsi e incapaci di azioni concrete; oppure convinti che la vita lavorativa sia una serie continua di emergenze. Nel suo libro *Testa di capo*, Robert I. Sutton, docente di ingegneria gestionale all'università di Stanford, racconta che tutti gli studi condotti negli ultimi sessant'anni, in paesi e settori diversi, conducono a risultati praticamente identici: «Circa il 75 per cento dei lavoratori riferisce che il proprio superiore immediato è l'aspetto più stressante del lavoro».[1]

In Italia oggi si ha l'impressione che aziende e organizzazioni, davanti ai nuovi arrivati, scoprano una vena di sadismo. «Nel sistema attuale i giovani tardano a entrare nel mondo del lavoro» scrive Irene Tinagli in *Talento da svendere*.[2] «Quando entrano devono passare per lunghi percorsi che non ne valorizzano le competenze e non fanno maturare le loro conoscenze, non solo professionali, ma anche sociali e relazionali, che diano loro la necessaria legittimazione e visibilità all'esterno.» È un riassunto sufficientemente crudele in una materia dove non si finisce mai d'imparare, e la casistica è imponente.

Forse dovremmo modificare l'articolo 1 della Costituzione: «L'Italia è una Repubblica fondata sullo stage». Imprese e professionisti, negli ultimi anni difficili, hanno fatto spesso ricorso a questa manodopera volonterosa, fantasiosa, gratuita o malpagata. Ha dovuto intervenire il ministro del Lavoro, Elsa Fornero: i tirocini, pensati come un aiuto delle imprese ai giovani, stavano diventando un aiuto dei giovani alle imprese. Conosco l'obiezione: «Quante storie! I ragazzi in questo modo ascoltano, imparano, si fanno le ossa! Non pretenderanno d'essere retribuiti?». Contro-obiezione: e come pagano l'affitto? Con le chiacchiere dei capi?

La fantasia italiana, quando si tratta di piegare le regole a proprio vantaggio, non ha concorrenti (se non in Cina, forse). Ho ricevuto, e pubblicato sul mio forum «Italians», la lettera di Alessandro Prazzoli, 25 anni, una laurea in scienze della comunicazione.

«È mio (dis)piacere raccontarle l'esperienza al colloquio sostenuto presso una nota azienda milanese. Giunto in sede (prestigioso edificio d'epoca), il titolare – arrivato in netto ritardo – prende visione dei curricula dei candidati iniziando, in modo villano e ricorrendo spesso a parole volgari, a commentare le fotografie da noi utilizzate. [...] Ci vengono poi presentate sbrigativamente l'azienda e la posizione aperta. Ed è qui che inizia il bello: cercano stagisti che gestiscano in autonomia progetti finalizzati a portare nuovi benefici all'azienda contribuendo ad aumentarne visibilità e business. Ma come? Lo stagista non deve, per legge, essere guidato e affiancato da un tutor?»

Prosegue il candidato: «L'imprenditore, dandoci del tu come da italica consuetudine, prosegue raccontandoci quant'è bello avere dagli stagisti un servizio a costo praticamente zero, o retribuito con mancette da 50/100 euro mensili. [...] Se sono tanti gli imprenditori che ragionano così, povera Italia! Post scriptum: chi scrive non è un bamboccione, ma un ragazzo adattabile che da due anni passa da un lavoro saltuario a un altro (talvolta molto umile), in attesa della sempre più insperata grande occasione».

Qualcuno, leggendo questo sfogo, penserà: «Certe esperienze formano il carattere, chi non ha mai avuto un capo odioso? I ragazzi italiani sono molli, sanno solo lamentarsi». Io penso invece che siano fragili, e di questa fragilità siamo responsabili anche noi, che abbiamo il doppio dei loro anni. Li abbiamo spinti a studiare e convinti a sognare. Quando ci siamo accorti che quel sogno avremmo dovuto contribuire a pagarlo, abbiamo detto: scusate, stavamo scherzando.

Pensate alle resistenze alla riforma del mercato del lavoro. Difendere l'attuale situazione italiana – riempiendosi la bocca di belle parole, come sempre – vuol dire accettare una dicotomia unica in Europa: rigidità integrale contro precarietà totale. Traduzione: chi è dentro è dentro, chi è fuori è fuori. Accadeva anche nel Medioevo, durante un assedio. Ma gli assediati, dall'alto delle mura, gettavano olio bollente. Non sfottevano gli assedianti.

2.3 Evitate le strade a fondo chiuso

Mi sono accorto di dividere il prossimo in due gruppi: persone generose, e persone che non lo sono (perché egoiste, spaventate, meschine, sciocche: non importa).

Alle persone generose tendo a perdonare molto. Non solo: mi accorgo che il loro atteggiamento si rivela, spesso, una buona strategia. Non sono generose in vista di un tornaconto; ma il tornaconto arriva comunque. Gabriele D'Annunzio, cui piaceva l'enfasi, fece scrivere all'ingresso di una delle sue ville: «Io ho quel che ho donato». Non arriverei a tanto. Dopo vent'anni di studi e trenta di lavoro direi: andare dove ci porta il cuore, spesso, non è soltanto la cosa giusta. È anche la cosa utile.

A voi ragazzi, quando lavorate con noi, possiamo chiedere pazienza, ma dobbiamo dare incoraggiamento. Suggerire tenacia, ma indicare una strada. Pretendere impegno, ma offrire una prospettiva, anche economica. Verremo compensati per questo, già in terra. Per il resto, esiste uno speciale girone del purgatorio per chi sfrutta i più giovani. Prevedo sarà affollato.

Prendiamo l'avvocatura, dove la laurea in giurisprudenza avrebbe potuto condurmi. A Milano ci sono 20.000 avvocati, la metà di tutta la Francia. In Italia sono 250.000, e aumentano di 15.000 l'anno. Novantamila i patrocinanti in Cassazione, un titolo cui si accede per anzianità.[3] Una giovane professionista (anonima e pentita) racconta al «Corriere della Sera»: a 27 anni guadagna 500 euro al mese, e dice d'essere fortunata. Almeno le chiedono di preparare notifiche e comparse, non la piazzano a produrre fotocopie e caffè.

Per tanti avvocati, me ne rendo conto, sono momenti difficili: molta concorrenza, pochi clienti, redditi modesti. Ma altri hanno uffici avviati e redditizi.

Mi chiedo: come possono, entrando in studio al mattino, guardare negli occhi un laureato cui offrono un'elemosina travestita da rimborso spese? Non rivedono se stessi trent'anni prima? Non pensano che uno stipendio, per quanto modesto, sarebbe giusto? Soldi ben spesi: ne guadagna l'autostima di chi riceve e la coscienza di chi offre.

Con la laurea in legge – è noto – si può arrivare dovunque, o da nessuna parte. Lo provano Renzo Arbore, Pippo Baudo, Silvio Berlusconi, Checco Zalone, Raimondo Vianello, Alessandro Preziosi, Geppi Cucciari, Guglielmo Stendardo (difensore dell'Atalanta), Carlo Giovanardi (difensore della fede) e il sottoscritto. Questa duttilità, e l'assenza di numero chiuso, spinge molti ragazzi incerti verso gli studi di giurisprudenza. Dopo la laurea, se non cedono al fascino della magistratura (una vocazione) e non sono tentati dal concorso notarile (un azzardo), pensano all'avvocatura come ripiego.

Un consiglio: attenzione. Al di là dello sfruttamento, comune ad altri settori, è una questione di mercato. In Italia non c'è lavoro per 250.000 avvocati: a meno che ci denunciamo tutti a vicenda, una volta la settimana, ma non sembra il caso. Nei tribunali italiani sono pendenti 5,5 milioni di processi civili e oltre 3 milioni di processi penali; l'attesa per una sentenza civile è in media sei anni e dieci mesi; le strutture e il personale giudiziario sono insufficienti; il sistema delle notifiche bizantino, il rituale delle motivazioni sfiancante, il meccanismo della prescrizione perverso.[4]

Il neo-avvocato senza passione e senza specializzazione, dopo cinque anni di studi, 20.000 euro di spese e due anni di praticantato gratuito, ha di fronte tre strade: la noia, la fame o l'assalto. Leggere innumerevoli documenti in vista di un contratto, con la dovuta diligenza. Accettare qualsiasi incarico, e passare sopra a molti scrupoli. Suggerire azioni legali a chiunque, e magari trascinarle nel tempo, sopportando umilianti anticamere negli uffici giudiziari. Per quest'avvocatura, sospesa tra affanno e sopravvivenza, gli americani hanno un nome: *ambulance chasers*, quelli che corrono dietro alle ambulanze, fiutando azioni di risarcimento. Non fatelo, ragazzi. Se volete correre, ci sono altre strade.

2.4 *Studiate il corso del fiume*

Nella storia degli Stati Uniti d'America, i figli sono sempre stati più istruiti dei genitori. Presto non sarà più così. Gli americani nati nel 1980, quando hanno compiuto 30 anni nel 2010, avevano studiato soltanto otto mesi più dei genitori: un'inezia, destinata presto a scomparire. Claudia Goldin e Lawrence Katz, gli economisti di Harvard autori della scoperta, sostengono che questa tendenza avrà conseguenze pesanti. In un mercato globale competitivo, gli Stati Uniti si troveranno presto in difficoltà. «La ricchezza delle nazioni non dipende più dalle materie prime. O dal capitale fisico. Sta invece nel capitale umano» afferma Goldin.[5]

Alcuni fattori del declino appaiono decisamente americani: i costi del *college* (primo livello universitario), il timore di indebitarsi, la concorrenza accademica degli studenti asiatici, spinti dall'ambizione delle famiglie (alcune università hanno dovuto introdurre un sistema di quote per garantire il posto ai ragazzi di altre etnie). Diversi elementi sembrano invece comuni all'Occidente. Il numero crescente di ragazzi che abbandonano le scuole superiori. La minore spinta dei genitori, restii ad avviare i figli verso studi che non procurano gli impieghi, i redditi o il prestigio sociale d'un tempo. La fragilità di una generazione cresciuta in un periodo di prosperità.

Il risultato, in ogni caso, è simile. Per motivi demografici, sociali ed economici, i giovani americani, inglesi, spagnoli, francesi e italiani staranno peggio dei genitori. Non accadeva da molto tempo.

È un'inversione inquietante. Perché diventa il marchio di una generazione, e crea dipendenza culturale, finanziaria e psicologica dai genitori. I quali sono felici, spesso, di conservare questo primato. Sbagliano. Veder ciondolare per casa una generazione rassegnata non può costituire motivo d'orgoglio; e presenta rischi. Pensiamo all'Italia. Chi rimane, si scoraggia e rinuncia a costruirsi una carriera. Chi se ne va, magari non torna. Ogni anno emigrano circa 60.000 connazionali sotto i quarant'anni – sette su dieci sono laureati – e vanno ad aggiungersi ai 287.000 espatriati italiani con istruzione superiore. Nel 2011, in Gran Bretagna sono arrivate 589.000 persone.[6] Non tutte erano medici, scienziati e artigiani di valore. Ma c'erano anche quelli, e molti erano italiani.

Gli Stati Uniti d'America, se le università perdono iscritti e smalto, rischiano il futuro. Noi italiani rischiamo subito: lo dicono il buon senso, l'osservazione e i numeri. L'hanno detto anche Mario Monti e i suoi ministri, più volte, per giustificare i sacrifici richiesti: dobbiamo farlo per i nostri giovani. Speriamo se ne ricordi, il governo. Dei giovani, intendo. Dei sacrifici – come sapete – non s'è dimenticato.

Se il fiume, di colpo, prende a scorrere in senso

contrario, il panorama diventa inquietante. E dovrebbe preoccupare tutti gli italiani adulti, non solo le istituzioni. «Far crescere l'economia slegando l'Italia» – come auspica Giuseppe Roma, direttore generale del Censis – porterebbe anche a questo: offrire occupazione e retribuzioni che giustifichino anni di studio. Lasciare a chi viene dopo di noi una montagna di debito pubblico e pensioni da sopravvivenza: non era quello che sognavamo a vent'anni, o sbaglio?

2.5 Non deprimetevi

Studenti in piazza in Italia, studenti per strada a Parigi, studenti in rivolta a Londra. Una coincidenza? Non credo. Una spiegazione, cara ai reduci perpetui del Sessantotto, potrebbe essere: sono tornati i giorni dell'immaginazione al potere (peccato non abbia saputo immaginare quanto si sarebbero imbolsiti i suoi alfieri). Un'altra, meno romantica, più semplice e preoccupante: i ragazzi europei non si ribellano tanto a una legge o una riforma. Si ribellano all'idea che il mondo adulto pensi a loro solo quando si tratta di risparmiare.

Non è stata solo la riforma della scuola a esasperare i giovani italiani; non è tanto l'inevitabile aumento dell'età pensionistica che ha spinto i ragazzi francesi alla rivolta; non sono state solo le tasse universitarie a provocare la protesta clamorosa, e purtroppo violenta, degli inglesi. C'è di più e di peggio. C'è questo: chi taglia dovrebbe seminare. E non accade.

Certo, le attenuanti esistono. Prendiamo la Gran Bretagna. David Cameron e Nick Clegg, la strana coppia al timone, hanno ereditato una difficile situazione finanziaria. Hanno chiesto sacrifici alla nazione; e la nazione, a malincuore, li ha accettati. Finché i tagli non hanno toccato l'istruzione, cioè il futuro.

Anche in Italia stiamo facendo pagare a una generazione errori che non ha avuto il tempo o il modo di commettere. Negli anni degli sprechi, i ragazzi di oggi non c'erano; dell'arte del furto non si sono ancora impratichiti (speriamo non lo facciano mai). Un laureato che s'affaccia sul mondo delle professioni – ammesso che trovi la finestra – rischia d'andare in pensione con un terzo del reddito. Una giovane coppia precaria non può pensare a comprar casa o fare figli. Non lo consentono le banche, il buon senso e l'autostima. Deve sognare a termine: esattamente come i contratti che firma.

Certo. Scrivere queste cose è facile, trovare una copertura economica è difficile. Ma non mancano soltanto i soldi. Manca il progetto. Noi adulti siamo rassegnati al fatto che i nostri figli dipenderanno da noi perché staranno peggio di noi: e questo è drammatico. Quando Perla Pavoncello, nel 2008, chiese in TV a Silvio Berlusconi come formare una famiglia senza un lavoro stabile, si sentì rispondere: «Da padre le consiglio di sposare il figlio di Berlusconi o qualcun altro del genere... credo che con il suo sorriso se lo possa permettere».[7] Una risposta brutalmente franca, ma anche francamente brutale. Il buon matrimonio è l'auspicio di una vecchia zia, non un programma di governo.

Quarant'anni fa erano i sogni a riempire le strade, oggi è la mancanza di sogni. Una prova? Il paese più tranquillo è la Germania: perché ha tratto giovamento dall'euro, certamente; e perché ha voglia di progettare. Dieci anni fa la stampa americana la definiva «*the sick man of Europe*» (il malato d'Europa). Oggi la disoccupazione tedesca è ai minimi e la produzione industriale tiene. Nel 2008, all'inizio della crisi finanziaria, l'Europa guardava a Parigi; oggi a Berlino. La città non ospita solo un governo da cui dipende il futuro della moneta unica, ma un'alta concentrazione di giovani coppie. È la prima cosa che notano gli italiani in visita, e tornando lo raccontano con invidia.

In Germania i cittadini sotto i 30 anni che lavorano sono 8,1 milioni; in Italia 3,2 milioni. In Germania i disoccupati nella stessa fascia d'età sono 824.000; in Italia 956.000, con una popolazione inferiore del 36 per cento. In Germania il tasso di occupazione, cioè il rapporto fra i giovani che lavorano e il totale delle persone della stessa età, è 57,1 per cento; in Italia siamo fermi al 33,2 per cento. In Germania i giovani tra i 15 e i 29 anni che non studiano né lavorano sono il 10,7 per cento; in Italia il 22,1 per cento, circa 2,1 milioni.[8]

Sono numeri significativi. Ma la felicità delle nazioni non è fatta solo di dati e risultati: è sentirsi al centro di una storia che va avanti. E avanti, più lontano di noi, andranno i nostri ragazzi. Pensare a loro è una forma di egoismo altruista: ci aiuta a stare meglio. Le nostre coscienze e le nostre strade saranno più tranquille.

2.6 Non compatitevi

All'inizio degli anni Duemila, negli Stati Uniti, è esplosa la passione per i *fly-in restaurants*: un migliaio di locali aperti di fianco a piste d'atterraggio, spesso pericolosamente corte. Agricoltori, professionisti, lavoratori del petrolio, quadri aziendali: la classe media americana faceva la coda per un piatto di *catfish* a cento dollari, pur di provare il brivido dell'insolito.

Nello stesso periodo era esplosa la mania di dare il proprio nome a nuove rose (a pagamento, fino a 75.000 dollari) e la moda dell'ombelico al vento: poiché non tutti l'avevano perfetto come quello di Britney Spears, molte donne americane ricorrevano al chirurgo estetico. Costo medio: 5000 dollari, non coperto dall'assicurazione.

Ristoranti aeronautici, ombelichi impeccabili e rose personalizzate: questi tre esempi, tratti da *The Progress Paradox* di Gregg Easterbrook, sembrano descrivere l'era di Saturno, non l'America recente, fotografata all'inizio del Ventunesimo secolo.[9] Nel 2003 l'autore raccontava queste vicende, e molte altre, per arrivare alla conclusione riassunta nel sottotitolo: «La vita migliora e la gente si sente peggio».

È il «paradosso del progresso». La constatazione, non nuova, che le condizioni di vita e i beni materiali non danno la felicità. Portano invece l'infelicità quando li si perde. La macchina della società occidentale non è fornita di marcia indietro. La vicenda di questi ultimi dieci anni lo dimostra.

Gregg Easterbrook in America e Mario Calabresi in Italia (*Cosa tiene accese le stelle*) arrivano alla stessa riflessione: pensate se i nostri antenati tornassero a trovarci. Sarebbero colpiti dall'aspettativa di vita, dalla sconfitta di molte malattie, dal cibo in abbondanza, dalla varietà dei prodotti, dalla velocità dei trasporti e dalla rapidità delle telecomunicazioni. Tutti successi che noi diamo per scontati, e non dovremmo.[10]

Essere pazienti non vuol dire affermare che tutto va bene. Lo abbiamo appena visto: purtroppo non è così. Essere pazienti vuol dire apprezzare ciò che abbiamo; e conquistare ciò che non abbiamo.

È un esercizio complesso, soprattutto da giovani. Sapete perché, a vent'anni, le stagioni durano a lungo mentre, a settant'anni, corrono via? Perché rappresentano una frazione maggiore della vita vissuta. Il nostro cervello, per esprimere una valutazione, ha bisogno di unità di misura e termini di paragone. Eric J. Hobsbawm parla del Novecento come del «secolo breve».[11] Chissà che non ci fosse un po' di autobiografia, in quel giudizio storico.

Non è realistico pensare che una ragazza italiana di 25 anni ragioni come uno storico britannico di 95. Ma bisogna imparare, davanti alle scelte di vita e di lavoro, a usare la prospettiva. Quanto basta per capire che la società italiana ha già attraversato periodi bui e periodi brillanti, anni egoisti e anni avventurosi, età grasse ed età magre. Le brutte esperienze e le brutte persone che incontrerete non sono le prime e non saranno le ultime.

Non rassegnatevi, quindi. Anche perché i risultati, spesso, sono migliori delle premesse. Di nuovo, Easterbrook:

> Infinite preoccupazioni per i soldi, scocciature, fretta; rumore costante, folla, richieste. Notiziari pieni di orrendi delitti e minacce. Ubique, chiassose dichiarazioni secondo cui la famiglia è distrutta, i valori stanno scomparendo, la società ha perso la bussola. Eppure, in qualche modo, la maggior parte di noi viene fuori ok.

Non dimenticate quanto è accaduto. Ma ricordate: questo non garantisce di sapere cosa accadrà. E non compatitevi – mai, per nessun motivo. Scriveva T.S. Eliot (citato da Hobsbawm): «Il mondo finisce in questo modo: non con il rumore di un'esplosione, ma con un fastidioso piagnisteo».

Se possibile, cercate di non unirvi al concerto.

2.7 Non lamentatevi

Never complain, never explain. Mai lamentarsi, mai dare spiegazioni. Pare fosse una massima del primo ministro britannico Benjamin Disraeli (1804-1881), diventato poi il mantra delle *public schools*, dove alla classe dirigente del futuro si insegnava – si insegna ancora – la virtù nazionale: lo stoicismo sorridente.

Non una virtù diffusa, neppure nel paese d'origine. Una ricerca del 2012 dimostra che lamentarsi resta l'hobby più diffuso del Regno Unito: 14,5 minuti ogni giornata di lavoro, 106 giorni in media durante la carriera.[12] In Italia nessuno s'è mai preoccupato di condurre la stessa indagine, che io sappia. Ma i risultati, probabilmente, sarebbero simili. *Always complain, always explain*. Lamentarsi sempre, e offrire continue spiegazioni: soprattutto quando non richieste.

Lo abbiamo appena visto, mentre chiedevamo pazienza e predicavamo tenacia: un'intera, nuova generazione avrebbe diritto di recriminare. Ma i motivi per lamentarsi ci sono sempre: ad ogni età, in ogni ambiente e a ogni latitudine. Lamentarsi è sfogo, e lo sfogo è una forma sottile di piacere: permette di esprimere pubblicamente un fastidio privato. Ma è un piacere cui bisogna saper resistere.

Il rischio è l'accidia, e l'accidia è uno dei sette peccati capitali: il più trascurato, al punto da averne scordato il significato. È una forma di pigrizia spirituale. Un'indolenza in cui ci si compiace. L'accidioso si lascia andare: ha trovato la propria inerzia nella lamentela. Il suo scontento è un automatismo in cerca di un pubblico. Un vecchio dipendente si perdona, se approfitta di ogni incontro per recitare le geremiadi aziendali. Un nuovo assunto dev'essere più saggio. Al bar, nei corridoi, sugli ascensori, intorno al distributore di bevande e caffè trovi altri argomenti di conversazione.

Lamentarsi è sbagliato. Non solo per ragioni tattiche, psicologiche o deontologiche, ma per un motivo pratico: costituisce una distrazione e una perdita di tempo. Una lamentela articolata – con protagonisti, comparse, trama, colpi di scena – richiede capacità narrativa, dedizione, ore a disposizione. I lamentosi da ufficio sono, a modo loro, dei professionisti, e risultano spesso bene informati sulle vicende interne. Raramente però eccellono in altre competenze, comprese quelle per cui vengono pagati.

Quando la tentazione di lamentarsi diventa irresistibile, scegliete il Metodo Bartleby. Lo scrivano, protagonista del racconto di Herman Melville, pubblicato nel 1853, aveva un metodo tutto suo di esprimere contrarietà. Sembrava un dipendente esemplare, da principio, fornito di tutte le qualità che ai tempi definivano la sua professione: precisione, puntualità, diligenza. A un certo punto, però, Bartleby rivela una sorprendente, misteriosa cocciutaggine. Il datore di lavoro, un avvocato newyorkese, non sa farsene una ragione.

Imagine my surprise, nay, my consternation, when without moving from his privacy, Bartleby in a singularly mild, firm voice, replied, «I would prefer not to». I sat awhile in perfect silence, rallying my stun-

ned faculties. Immediately it occurred to me that my ears had deceived me, or Bartleby had entirely misunderstood my meaning. I repeated my request in the clearest tone I could assume. But in quite as clear a one came the previous reply, «I would prefer not to». «Prefer not to,» echoed I, rising in high excitement, and crossing the room with a stride, «What do you mean? Are you moon-struck? I want you to help me compare this sheet here – take it,» and I thrust it towards him. «I would prefer not to,» said he.

Figuratevi la mia sorpresa, meglio, la mia costernazione, quando, senza spostarsi dal suo angolino, con voce singolarmente tranquilla, ma ferma, Bartleby rispose: «Preferirei di no». Restai per qualche tempo seduto, sbalordito, in assoluto silenzio, per rimettermi dallo stupore. Per prima cosa mi venne da pensare che l'udito mi avesse ingannato, oppure che Bartleby avesse completamente frainteso il significato della mia richiesta. Ripetei la richiesta con quanta chiarezza mi fosse possibile, e con altrettanta chiarezza mi arrivò la risposta di prima: «Preferirei di no». «Preferirei di no!», dissi io, come un'eco, alzandomi di scatto e attraversando con un balzo la stanza. «Ma che volete dire? Siete impazzito? Voglio che mi aiutate a collazionare questo documento – prendetelo», e glielo spinsi davanti. «Preferirei di no», disse lui ancora una volta.

Never complain, never explain. Non lamentatevi. Piuttosto rispondete «Preferirei di no» (*I would prefer not to*), stile Bartleby, sperando di avere un datore di lavoro altrettanto comprensivo. Evitate di dilungarvi in elaborate, inutili spiegazioni. Ascoltate, consultatevi, ragionate; poi scegliete la vostra strada. Se dovesse prevedere una svolta o un'uscita di scena, che sia elegante. C'è chi lascia sempre sbattendo la porta: è rumoroso e sbagliato, anche perché capita di dover tornare.

2.8 Imparate a cucinare

Con notevole stupore, e altrettanto piacere, noto che molti giovani italiani sognano di diventare giornalisti. I master di giornalismo – oggi la strada maestra verso il mestiere – sono pieni di ragazze e ragazzi determinati e preparati (più di noi trent'anni fa), che si dimostrano lungimiranti. Non guardano infatti al momento difficile dell'industria, ma alle opportunità e ai nuovi strumenti del mestiere, cui internet ha regalato una terza giovinezza (la prima arrivò col giornale a stampa, la seconda con la televisione).

I futuri colleghi, spesso, chiedono suggerimenti. Eccoli.

I Impegnatevi a fondo. Non perdetevi in chiacchiere e non mostrate indecisione. Se un giorno volete diventare giornalisti dovete esserne certi.

II Imparate l'inglese! Non lo ripeterò mai abbastanza. Nell'industria in cui state per entrare buona parte della forza-lavoro parla inglese.

III Non rubate. Anzi, non fate nulla che vi farebbe fare brutta figura alla macchina della verità.

IV Siate sempre puntuali.

V Non accampate scuse, non incolpate gli altri.

VI Non datevi mai malati. A meno che non vi amputino un arto, abbiate un'emorragia o ferite al petto invalidanti.

VII Pigrizia, sciatteria e lentezza sono cattive qualità. Intraprendenza, ingegnosità e iperattività sono buone qualità.

VIII Siate preparati ad assistere a ingiustizie e follie umane di ogni sorta. Senza che vi mandino in tilt o vi avvelenino l'umore. Dovrete semplicemente sopportare le contraddizioni e le iniquità di questa vita.

IX Aspettatevi sempre il peggio. Da tutti. Ciononostante, non permettete che questa prospettiva negativa influenzi il vostro rendimento. Buttatevi tutto alle spalle. Ridete di ciò che vedete e sospettate.

X Cercate di non mentire.

XI Evitate i giornali e i programmi che portano il nome del proprietario scritto sopra la testata. Quelli che mandano cattivo odore. E quelli dal nome buffo o patetico; stonerà sul vostro curriculum.

XII Pensate al curriculum! Che effetto farà su chi sta vagliando una pila di e-mail il fatto che non abbiate mai lavorato nello stesso posto per più di sei mesi?

XIII Leggete! Leggete giornali, libri sul giornalismo e riviste. Sono utili per tenersi aggiornati sulle tendenze dell'industria e per trovare nuove idee.

XIV Prendete le cose con umorismo. Ne avrete bisogno.

P.S. *Questi consigli vengono da* Kitchen Confidential, *il bestseller del cuoco e critico gastronomico Anthony Bourdain.*[13] *Ho sostituito «chef» con giornalista, «cucina» con giornalismo, «ristoranti» con giornali e «lingua spagnola» con lingua inglese. Le ricette del successo professionale sono le stesse dovunque, pare.*

3

Tempismo

Siate pronti

*Un sasso tirato al momento giusto
è meglio dell'oro dato al momento sbagliato*
Proverbio persiano

Chi gà mìa co, gà gambe
Chi non ha testa, ha gambe
Proverbio cremasco

3.1 Guardate gli americani

Ricordate George Clooney in *Tra le nuvole*? Il taglia-
tore di teste (aziendali), perennemente in viaggio, te-
neva conferenze. Si presentava sul podio con uno zai-
netto e ammoniva: ci portiamo appresso troppo bagaglio. Persone, lavori, esperienze, case, oggetti, ricordi,
legami, affetti: è bene viaggiare leggeri, diceva.

La trama del film s'incaricava di dimostrare quanto
la tesi del protagonista fosse rozza. Ma non c'è dubbio: gli americani, pagando un prezzo personale, sono
ben disposti verso le novità. Di certo, più di noi. In *Un
italiano in America*, scritto a Washington D.C., spiegavo come fosse utile, per capire la società negli USA,
affidarsi a quattro parole: *Control*, *Competition*, *Com-
fort* e *Coreography*.[1] Oggi aggiungerei una quinta «C»,

e non perché l'ha adottata Barack Obama: *Change*, cambiamento.

Certamente la mentalità è diversa. Il fallimento in Italia è un'onta; in America dimostra che uno, almeno, ci ha provato. Se il cambiamento qui viene visto come un rischio, là diventa un'opportunità. Gli Stati Uniti sono una repubblica fondata sul trasloco. E se ne vantano.

Il mutamento è inevitabile. Bisogna accettarlo. Gli americani sono rivoluzionari che si spacciano per conservatori, noi siamo conservatori che si fingono rivoluzionari. La nostra resistenza al nuovo è provata dalle mille riforme accennate, rallentate, abortite, mancate. La narrativa nazionale – il modo in cui rappresentiamo noi stessi – è statica. La nostra idea d'Italia non è un film, è una fotografia.

Una giusta quantità d'irrequietezza è utile. La capacità di cambiare restando se stessi è importante anche nel lavoro. Pensate a personaggi diversissimi come José Mourinho e Madonna, Martin Amis e Sean Penn, Bernard-Henri Lévy e Rita Levi-Montalcini: insopportabili, magari, ma non prevedibili. Non si tratta di semplice versatilità, che può rientrare tra i talenti di una persona. È una scelta, che si traduce in tre parole: evitare le repliche.

La coazione a ripetere è la piccola, grande tragedia di tante vicende professionali. Fare le cose può essere difficile, rifarle è più facile (perché, secondo voi, la recidiva di reato viene punita con severità?). Comodità, pigrizia, furbizia, perfezionismo, bisogno di rassicurazione, ansia da prestazione: tutto ci spinge a replicare le cose già fatte. E a considerare le novità come un'insidia o un fastidio. Siamo più gatti che rondini, noi italiani. Meno cambiamo, più siamo contenti.

3.2 Scongelate i pensieri

A novant'anni l'ostilità al cambiamento è giustificabile, a settanta comprensibile, a cinquanta prevedibile, a trenta preoccupante. A vent'anni, imperdonabile.

Cambiamento non è sinonimo di miglioramento: si può cambiare in peggio. Non è neppure garanzia di aggiornamento. Il cambiamento è un processo, non un punto d'arrivo. «Nemmeno quelli che sembrano cambiamenti improvvisi, improvvisi lo sono veramente», scrive Marcello Fois con saggezza sarda (*Nel tempo di mezzo*). «D'improvviso c'è solo il momento in cui ne prendiamo coscienza.»[2]

C'è una vicenda istruttiva, raccontata da Guy Kawasaki – *venture capitalist*, autore, ex *chief evangelist* di Apple – ai ragazzi che lasciavano la Palo Alto High School.[3] La città, che ospita l'università di Stanford, è al centro della Silicon Valley, l'area a sud di San Francisco, da tempo la più intraprendente e innovativa degli Stati Uniti.

> Lasciate che vi racconti una breve storia a proposito del ghiaccio. Alla fine dell'Ottocento esisteva una fiorente industria, nel Nordest degli Stati Uniti. Società che tagliavano blocchi di ghiaccio da stagni e laghi congelati e li vendevano in giro per il mondo. La spedizione più grande era 200 tonnellate, verso l'India. Metà arrivava a destinazione senza sciogliersi, ed era sufficiente per ricavarne un profitto.
> Questi raccoglitori (*ice harvesters*), tuttavia, furono messi fuori mercato da strumenti per la produzione meccanica del ghiaccio. Non era più necessario tagliarlo e spedirlo: nuove aziende erano in grado di produrlo in ogni città e ogni stagione.

Questi produttori di ghiaccio (*ice makers*), tuttavia, furono messi fuori mercato dalla diffusione dei frigoriferi. Se era conveniente produrre ghiaccio in fabbrica, immaginate quanto fosse meglio crearlo a domicilio, e conservare i prodotti al freddo in casa propria.

Voi penserete: gli *ice harvesters* avranno visto i vantaggi della produzione di ghiaccio e avranno adottato quella tecnologia. No, riuscirono solo a immaginare le cose note: migliori seghe, migliore conservazione, migliori trasporti. Poi penserete: gli *ice makers* avranno visto i vantaggi dei frigoriferi e avranno adottato quella tecnologia. Non l'hanno fatto. Gli uni e gli altri non hanno saputo saltare dalla propria curva alla curva successiva.

Sfidate il noto e abbracciate l'ignoto. Altrimenti farete la fine degli *ice harvesters* e degli *ice makers*.

La morale, ovviamente, non è «Sostituite il frigorifero». È invece, per restare nell'allegoria: scongelate la testa. Cercate di capire quando non è cambiato un dettaglio, ma un sistema. E smettete di porvi la vecchia domanda televisiva: «Cosa c'è dietro l'angolo?». Che importanza ha? Se c'è una strada, percorretela. Se c'è un ostacolo, saltatelo. Se c'è una buca, cercate di non finirci dentro.

3.3 Tuffatevi nel brodo

La scena più sexy del film *The Social Network* non è quella in cui le stagiste sculettano nella nuova sede di Facebook, ma un'altra. Il rettore di Harvard, l'ex segretario al Tesoro Larry Summers, strapazza due atletici studenti in visita: «Mettetevelo in testa: qui i ragazzi non vengono per trovare lavoro. Vengono per inventarsene uno».

La lezione non riguarda solo il capitalismo americano, capace di rinnovarsi e, quindi, di continuare a condurre il gioco. Riguarda la forza dirompente delle idee, che nelle università trovano l'incubatore naturale. Un brodo denso, frenetico e rischioso. Ma formidabile, com'è la gioventù.

È tra gli eccessi e nel disordine che, spesso, spuntano le soluzioni. Microsoft ha le radici a Harvard, dove Bill Gates – pokerista e casinista – nei primi anni Settanta conobbe Steve Ballmer e trovò un nuovo algoritmo per l'ordinamento delle frittelle (*pancake sorting*), una variante degli algoritmi di ordinamento in cui l'unica operazione ammessa è invertire gli elementi di una parte iniziale della successione. La posta elettronica s'è affermata nei *colleges*, a metà degli anni Novanta. Google è l'idea di due studenti di Stanford. Facebook, come dicevamo, è nato a Harvard e per Harvard, estendendosi prima alle università dell'est, poi a quelle dell'ovest.

Il *college* americano non è un luogo facile. Gli *undergraduates* – gli studenti di primo livello – sono sballottati tra proposte e lezioni, feste e riunioni, sport e concerti, giornate infinite e notti in bianco, competizione feroce e amicizie destinate a durare. Vengono invitati – per usare le parole di Steve Jobs – a essere affamati e un po' folli. La selezione avviene così. Qualcuno, nel brodo, trova l'oro.

La rete sociale di un *college* come prototipo per l'intera società: questa l'intuizione di Mark Zuckerberg, classe 1984, nel 2003. Molti avevano capito, già da anni, le potenzialità relazionali di internet. Ma unire un algoritmo a un'intuizione, e cavarci un affare planetario – be', è un'altra cosa.

In Italia non abbiamo bisogno di inventarci «il libro delle facce» – d'accordo, non suona altrettanto bene – per usare al meglio le università. Basta non affamarle (i ricercatori hanno ragione), non permettere che diventino feudi (i baroni hanno torto), e utilizzarle per quello che sono: fabbriche di entusiasmo e di idee.

È vero. In Italia non abbiamo i campus americani, la cui promiscuità intellettuale (e non solo) produce reazioni continue, in un gigantesco esperimento di chimica umana. Ma abbiamo piccole città che sono campus naturali, e il mondo c'invidia; e buone università metropolitane. Qui sono conservate le chiavi del nostro futuro comune: la fantasia, l'intuizione, l'incoscienza, l'incapacità di ripetersi perché si è troppo giovani per avere qualcosa da ripetere.

Nel 2009 ho trascorso un periodo al MIT (Massachusetts Institute of Technology) come «scrittore in residenza», spostandomi anche a Harvard e a Brown University. Nel 2011 ho visitato cinque università sulla costa est degli Stati Uniti per presentare un libro. Ho capito perché l'America sopravvive alle ondate del mondo e agli squali di Wall Street. Perché la sua parte migliore – c'è anche l'altra – non frustra i ragazzi; li incoraggia. Non li sfrutta; ci investe. Non li subissa di rampogne; ne accompagna il volo nella vita.

Non è bontà: è bassa, egoistica lungimiranza. Convincere un ragazzo o una ragazza che può diventare felice, ricco e famoso con un'idea; non mostrando i tatuaggi e le mutandine in televisione. Spiegare che creare una società commerciale può essere eccitante come partire per un viaggio; ed evitare di soffocare di regole e cavilli la partenza di quel viaggio.

Guardatevi *The Social Network*, se non l'avete ancora fatto. E invidiateli.

3.4 Non lasciatevi incantare

Quartier generale di Google, Mountain View (California). Ci sono le biciclette arcobaleno, le T-shirt colorate con scritto «Google Maps», la mensa tra le palme, le piscine per il nuoto controcorrente, il biliardo con le stecche, l'aula magna per gli incontri del venerdì con «Larry» e «Sergey» (sono venuti anche David Beckham e Lady Gaga, e certamente anche loro li chiamavano per nome).

Un luogo duro e attento, com'è inevitabile che sia.

Questo terzo passaggio – l'avete capito – è decisamente americano. L'America è brava a coltivare l'informalità cosmetica, così clienti e concorrenti pensano sia una nazione ingenua e gioviale, la sottovalutano, e finiscono per fare ciò che chiede. L'America non è ingenua: non sarebbe la potenza che è. L'America non è gioviale: sta tornando a essere amichevole dopo il trauma del 2001 e gli anni sospettosi di George W. Bush. Ma è un'altra cosa.

Google è la rappresentazione di questa inevitabile durezza, colorata per questioni di marchio e di marketing. Non pensavo, entrando a 1900 Charleston Road, alle preoccupazioni dell'autorità europea per la concorrenza. Pensavo alla perfetta organizzazione, alla selezione drastica nelle assunzioni, al divieto di fotografie, al tablet destinato a scontrarsi con iPad (Apple), Kindle (Amazon) e Surface (Microsoft): un progetto di cui a Mountain View, fino al momento dell'annuncio, negavano perfino l'esistenza.

Non biasimo Google. Il passaggio da rivoluzione a istituzione è inevitabile, e capisco che una società quotata imponga cautele. È accaduto a Microsoft, poi a Apple, poi a Facebook (accadrà anche a Twitter). Solo Amazon mi sembra abbia conservato una scintilla dello spirito iniziale. Merito dei margini ridotti e del fondatore, Jeff Bezos, che ha fatto stampare sui muri due parole magiche: *Day One*, ogni giorno è il primo giorno.

Ripeto: non condanno e non mi lamento. Constato. Per chi è arrivato qui trentacinque anni fa, e ha continuato a tornarci, è entusiasmante vedere le palingenesi della California. La combinazione di impegno e intelligenza delle università USA genera casuali, piccole iniziative; poi ci pensa il mercato. Se nel 1992 qualcuno avesse previsto che sarebbe bastato un telefono (con Google Maps) per trovare un indirizzo in questo dedalo di strade assolate lo avrebbero preso per un pazzo o uno stregone.

Ricordo un'inchiesta condotta nella Bay Area e nella Silicon Valley, vent'anni fa: tutti parlavano di microchip e portatili, presto potenti come computer da tavolo. Oggi vicino a Google vedo LinkedIn, Yahoo, Complete Genomics: social network, motori di ricerca e biotecnologie. I primi due sembrano più leggiadri, ma non è così. Anch'essi possiedono nostre informazioni. Possono colorarla come vogliono, piantarci intorno le palme e vestirsi come ciclisti per andare al lavoro. Rimane roba seria. Roba americana.

3.5 Imparate a cinguettare

Cos'è Twitter? Un servizio di microblogging, ideato nel 2006 a San Francisco (tanto per cambiare) da Jack

Dorsey, Biz Stone ed altri. Massimo 140 caratteri. Se sei interessato a quello che dico, diventi *follower*, seguace. Suona male, lo so. Ma, come è stato scritto, «il termine è più onesto di *friend*, amico, caposaldo di Facebook».

Un paio d'ore di esperimenti, e domenica 19 aprile 2009 ho esordito. Dopo una settimana avevo trecento *followers*, oggi ne ho 262.000, e mi comporto allo stesso modo: scelgo chi seguire, per essere informato e stimolato; se ho qualcosa da dire o da mostrare (foto, video, testi), twitto. Altrimenti ne faccio a meno (la media è 2,6 tweet al giorno). Alcuni tweet mai spediti mi rendono orgoglioso.

Twitter è un sondaggio istantaneo, un giudizio universale temporaneo, una gioia, un circo, un seminario, uno sfogo, un malumore, un modo di capire dove soffia lo spirito del tempo (tramite la colonna «tendenze»). Lo usano personaggi noti, e moltissime persone meno note, ma non meno interessanti. I primi sono favoriti, ma spesso abusano della loro fortuna: Twitter non è un microufficio-stampa.

Twitter richiede passione, tempismo, ironia e serietà. Resta un mezzo di comunicazione di massa, non un commento tra due balconi (per quello ci sono però i «messaggi diretti»). Un tweet retwittato (rilanciato) può avere una diffusione esponenziale. Twitter permette un uso professionale e un uso personale. Se usato bene, personalizza i professionisti e rende professionali le persone.

Twitter non è il fratello minore di Facebook. Semmai il cugino. Parenti e diversi. Facebook è stato creato da ragazzi per i ragazzi: lo usano anche gli adulti, ma siamo in affitto (morale). Twitter è smaliziato, meno empatico ma più acuminato. Sociale e micidiale: basta saperlo manovrare. È un esercizio quotidiano di igiene mentale, uno spazzolino per il cervello. Ne raccomando l'uso, con otto avvertenze.

1 SIATE ASSIDUI, non abitudinari. Un social network non è un'occupazione a tempo pieno. Non esagerare, quindi. Ma evitare la volubilità di chi s'entusiasma per la novità, e poi l'abbandona (vero, Fiorello?).

2 SIATE SPONTANEI, non impulsivi. Twitter è un modo fulminante per arrivare all'attenzione del prossimo. Ma internet è un mezzo di comunicazione di massa, non una chiacchiera al bar. Lo sfogo di cui pentirsi non è consentito, anche perché poi ci si pente davvero.

3 SIATE STIMOLANTI, non fastidiosi. I bambini dispettosi erano irritanti in cortile, durante l'infanzia. Ora, diventati grandi, sono insopportabili.

4 SIATE UTILI, non ripetitivi. Ogni tweet deve costituire un valore aggiunto. Esprimere un'opinione (magari divertente). Segnalare una novità (possibilmente interessante). Mostrare un'immagine o fornire un link. Per il notiziario, esistono i siti dei quotidiani e le agenzie di stampa.

5 SIATE ORIGINALI. Chi segue un giornalista non ama leggere la versione in pillole del giornale in edicola. Così, chi segue voi non vuole sapere dove vi trovate e cosa fate in

ogni momento (effetto GPS?). Pretende un'indicazione, un riassunto, un'intuizione, una piccola illuminazione. Siamo grati quando, nella foresta delle informazioni, qualcuno indica onestamente un sentiero.

6 SIATE SORPRENDENTI. Attori, cantanti, calciatori, stilisti, politici, tautologi (persone famose in quanto note). L'errore di molti personaggi pubblici è utilizzare i social network per autopromozione. Non è vietato, ogni tanto, segnalare una propria iniziativa. Ma è bene ricordare il patto implicito di Twitter: evitiamo di annoiarci a vicenda.

7 NON PREOCCUPATEVI. Una modica quantità di provocatori e molestatori è fisiologica. «Facciamocene una ragione: l'uno per cento della popolazione è pazzo. Ha vissuto nel seminterrato per anni, e la mamma gli portava ogni giorno da mangiare. Due anni fa la mamma gli ha regalato la connessione a banda larga.» (Eric Schmidt, presidente di Google, giugno 2012)

8 DIVERTITEVI! Eh sì, se non vi divertite voi, chi vi segue s'annoia: garantito. Un tweet è un soffio d'aria fresca nelle stanze del cervello. Se diventa un altro lavoro, che gusto c'è?

3.6 Allenatevi a correre su diverse distanze

Abbiamo citato Jeff Bezos, padre-padrone di Amazon.com. L'uomo, detentore di una risata allucinogena e di un fatturato impressionante, appartiene al club di Steve Jobs (Apple), Bill Gates (Microsoft), Larry Page e Sergey Brin (Google), Mark Zuckerberg (Facebook) e Jack Dorsey (Twitter). Gente che ha creato un paradigma, non soltanto un'industria di successo.

L'ho intervistato nel 2000 e di nuovo nel 2010, per controllarne le previsioni (corrette, come l'andamento in Borsa conferma). Entrambe le volte era in compagnia di Diego Piacentini, responsabile delle attività internazionali del gruppo. Jeff B. a un certo punto ha detto: «Sono convinto che la gente impari sia in forma breve sia in forma lunga. Ci saranno sempre più strumenti per la forma breve: messaggi, post, tweet. Benissimo. Ma per leggere 300 pagine, che ti consentono di argomentare e ragionare in maniera diversa?». La risposta (aziendale) di Bezos è: Kindle, il lettore elettronico di Amazon.

Non credo che parlasse solo l'interesse di bottega. Quel commento contiene un'intuizione. Sbagliano, gli adulti, a sgridare – o, peggio, deridere – un ragazzo che fa quattro cose insieme (stare su Facebook, scambiarsi sms, ascoltare musica e guardare la TV). Ci provino, se ci riescono. La pluriattività – multitasking, in milanese moderno – richiede rapidità, coordinazione, reattività e intuizione, quattro forme di intelligenza turbo.

C'è pure l'intelligenza diesel, e non è meno utile.

La si allena sui libri. Ricavare il succo emotivo di un romanzo non è solo bello: è utile. Un buon saggio può cambiare la prospettiva. I libri insegnano un diverso respiro mentale. Passando dai motori all'atletica, direi: è una questione di allenamento. Un conto è correre i 100 metri, un altro i 3000 siepi. Una distanza non è meglio dell'altra. Sono diverse. Chi sa correre entrambe, è un atleta più completo. Per tornare ai motori: è un turbodiesel.

Gli adulti stagionati hanno l'abitudine alla lettura lunga (appresa a scuola, insegnata in famiglia). Qualcuno di noi, per piacere o per dovere, ha imparato la lettura breve. Un'operazione uguale e contraria dovete fare voi ragazzi: abituati alla lettura breve, imparate la lettura lunga.

Vi servirà nella vita. Non è importante dove si legge un libro (carta, schermo, minischermo). Importante è il libro, con la sua lunghezza, la sua sfida, la sua lezione di metodo. Un rapporto scritto, un contratto, un progetto, il materiale di preparazione per un incontro o un convegno: senza l'abitudine al libro, sembreranno inaccessibili. E non lo sono.

Ci sono pensieri lenti e pensieri veloci, scrive Daniel Kahneman.[4] Rinunciare agli uni o agli altri è un peccato, oltre che un errore. Non sono categorie incompatibili, ripeto. Sono invece complementari. Talvolta la realtà va aspettata al varco, senza fretta. Qualche volta bisogna saperla prendere al volo. È una questione di mira e di tempismo.

3.7 Rinunciate a un buon inglese (serve un inglese ottimo)

Nella primavera 2012 sono stato invitato al Politecnico di Milano per un incontro con gli studenti, una delle fonti di ispirazione di questo libro. Ho parlato in inglese. Un piccolo segno di solidarietà verso un'istituzione accademica che ha fatto la cosa giusta: la formazione magistrale e dottorale avverrà infatti in questa lingua, a partire dal 2014. Lo scandalo con cui è stata accolta la notizia è un classico esempio di

CIRPI (Clamore Italiano Retorico Passeggero e In-comprensibile). I giovani ingegneri continueranno a vivere, comunicare e lavorare in italiano. Aggiungono una lingua, non la tolgono.

Claudio Magris dice bene. «L'idea di fare, nell'università italiana, dell'inglese la lingua unica e obbligatoria dell'insegnamento» sarebbe degna del personaggio di Alberto Sordi, che voleva fare l'americano ma era «nato in Italy».[5] Nessuno, però, l'ha proposto. Al Politecnico non s'insegna letteratura, e la novità riguarda solo le lauree magistrali. I ragazzi studiano già su testi inglesi (troppo complicato e costoso tradurli) e, appena andranno nel mondo a lavorare, lavoreranno in inglese. Se nel corso di un progetto in Brasile gli italiani parlassero italiano, i tedeschi in tedesco e i locali in portoghese, il gruppo non riuscirebbe mai a costruire un ponte. Al massimo, la torre di Babele.

Non a caso le domande di studenti stranieri per il Politecnico di Milano sono aumentate di colpo. L'incremento di studenti extra Unione europea che hanno chiesto di iscriversi alle lauree magistrali è del 40 per cento. L'ateneo – mi dicono – ha scelto di puntare su sette paesi particolarmente rilevanti per l'economia dell'Italia: oltre a Brasile, Russia, India e Cina (BRIC) anche Vietnam, Turchia e Iran.

Il dato è importante perché alla nostra diaspora intellettuale non ha corrisposto, finora, una capacità di attrazione altrettanto intensa. Fanno eccezione le università che tengono corsi in inglese (per esempio la Bocconi, dal 2006) e, per scelta e vocazione, l'Università per Stranieri di Perugia. La situazione sarebbe peggiore se, talvolta, non venissero conteggiate le migliaia di studenti USA che ogni semestre arrivano a Firenze. Ma la loro destinazione è la sede locale di una delle numerose università americane; la lingua di studio, ovviamente, l'inglese.

So che alcuni docenti del Politecnico si sono opposti alla novità. Duecentotrentaquattro strutturati (tra ricercatori, associati e ordinari) hanno firmato un «Appello a difesa della libertà di insegnamento». Ritengono che la decisione del rettore sia contraria all'articolo 271 del regio decreto del 1933 (!) secondo cui «la lingua italiana è lingua ufficiale dell'insegnamento e degli esami in tutti gli stabilimenti universitari». E vedono a rischio «la libertà di scelta di docenti e studenti e il pluralismo dell'offerta formativa», messi in discussione dall'inserimento di un «criterio di discriminazione su base linguistica con effetti sicuri, anche se non del tutto prevedibili e governabili, sulle carriere del personale docente e su quelle degli studenti».

Prego notare l'ordine delle preoccupazioni: dice tutto.

3.8 Diventate tecnici

«Tecnica» è una parola che suscita diffidenza. Ha un retrogusto asciutto, come se la perizia fosse indice di aridità. L'etimologia suggerisce cautela: «tecnica» viene dal greco τέχνη, che significa arte; un'arte diversa da ἐπιστήμη, conoscenza dei princìpi. La tecnica non è disinteressata. Ha un obiettivo. Secondo Platone, «il sapere in generale, privo di un oggetto proprio, non ha alcun senso: ogni scienza e ogni tecnica vertono su alcuni oggetti specifici e non su altri. Una tecnica che non si sia delimitata il campo in base al proprio oggetto non è una tecnica» (Giuseppe Cambiano, *Platone e le tecniche*).[6]

Tra un tecnico e un artista c'è una grande differenza, nell'immaginario collettivo. Eppure, se sono bravi, i due hanno in comune una caratteristica: sanno fare qualcosa. In molti casi, sono capaci di pensare con le mani. Un artista senza tecnica è velleitario: ha un'idea in mente, ma non sa come metterla in pratica. Un tecnico senza il gusto delle cose sarà adeguato, mai eccellente (leggete *La chiave a stella* di Primo Levi).[7]

Abbiamo parlato, in questo passaggio, di come sia importante poter lavorare in inglese (capire, parlare, leggere, scrivere); ricavare informazioni da un testo, breve o lungo che sia; utilizzare i social network, e non considerarli un gioco. Le competenze necessarie ai vostri progetti, e funzionali al vostro talento, sono ovviamente molte di più: nessuno può stilare un elenco, se non voi. L'importante è convincersi: talento, tenacia e tempismo servono a poco, se non si accompagnano all'abilità.

Magari siete portati per la musica. Avete cominciato a suonare uno strumento fin da bambini. Avete studiato nel miglior conservatorio. Vi esercitate coscienziosamente. Vi trovate al momento giusto nel posto giusto. Di fronte a voi, un pubblico ansioso di ascoltarvi. Tutto impeccabile. Ma il vostro successo – in qualche caso, il vostro futuro – dipende da ciò che uscirà dal vostro strumento. Senza tecnica, diventa tutto inutile. Se sarete davvero bravi, la vostra perizia non si vedrà: l'esecuzione apparirà naturale e senza sforzo. Ma dietro quella disinvoltura – voi lo sapete – c'è il mestiere. E il mestiere non s'inventa: s'impara.

Facciamo parte di una nazione d'artigiani, dovremmo essere consapevoli di quanto sia importante sapere fare le cose. Saperle fare bene. Il mondo non è degli improvvisatori. Quelli – e sono tanti – che vogliono fare credere a datori di lavoro, colleghi e clienti di possedere capacità di cui sono privi. Possono cavarsela una volta, un giorno, un mese, perfino un anno, se sono bravi a recitare. Ma la realtà, prima o poi, li raggiunge.

Pochi parlano di tecniche; oggi si richiedono *skills*, come se il nome inglese impreziosisse qualcosa che è già prezioso. Saper cantare o contare, correre o guidare, disegnare o dipingere, costruire un ponte o tagliare un vestito, domare una macchina o interpretare un lamento. Sono tutte cose che s'imparano: a patto di volerle imparare. Al momento buono, torneranno utili. In qualche caso, risulteranno indispensabili.

Apprendete cose diverse, anche lontane dal vostro settore o campo di studi. Imparate a usare strumenti nuovi, senza trascurare gli strumenti vecchi. Ricordate che la manualità non è importante solo per chirurghi, piloti, falegnami e idraulici; anche un architetto, se in cantiere saprà smontare un serramento, salirà nella stima degli operai. Ammirate e gratificate chi sa fare cose di cui non siete capaci. Otterrete riconoscenza, e un servizio migliore.

Robert Baden-Powell, il fondatore degli scout, amava una massima latina che potrebbe diventare l'epigrafe di questo passaggio: *Estote parati*, siate preparati. La migliore preparazione è proprio la competenza. I lupetti – i più piccoli nello scoutismo – conquistano i cosiddetti «brevetti». Ai miei tempi c'erano falegname, poeta, tiratore, massaio. Oggi ci sono segnalatore, osservatore, giocatore di squadra, amico degli animali ed esperto di biodiversità. Per conquistarli, e poterli cucire sul maglione, i bambini devono dimostrare di possedere una tecnica. Ricordo: leggevamo le nostre inclinazioni con realismo, inseguivamo l'obiettivo con determinazione, imparavamo una specialità con pazienza, ci sottoponevamo all'esame appena ci sentivamo pronti. Immagino che i nostri successori, oggi, facciano lo stesso. Talento, tenacia, tecnica e tempismo: sempre la stessa storia.

4

Tolleranza

Siate elastici

> «*Gli italiani sono fantasisti.*
> *La realtà non è abbastanza per loro.*»
> «*Davvero? Neanche questa realtà?*»
>
> Martin Amis, *La vedova incinta*

4.1 Teste Rotonde o Cavalieri?

A metà del Diciassettesimo secolo, la Gran Bretagna era devastata da una guerra civile che divideva la nazione in due tribù – Roundheads *e* Cavaliers. *In questo programma storici e celebrità spiegheranno che la distinzione rimane attuale. I* Cavaliers *rappresentano il paese della disinvoltura, del piacere e dell'individualità. Di fronte hanno i* Roundheads, *che si battono per la modestia, la disciplina, l'uguaglianza.*

Roundhead or Cavalier: Which One Are You?
BBC Radio Four, 2012

La divisione tra Teste Rotonde e Cavalieri risale ai tempi di Oliver Cromwell. Gli uni intendevano dare più poteri al Parlamento e si opponevano a Carlo I; gli altri difendevano il potere assoluto e il diritto divino del monarca. I primi tagliavano i capelli molto corti (da qui il nome); gli altri li tenevano più lunghi. La distinzione politica e tricologica s'è persa, ma gli inglesi amano la dicotomia, e continuano a giocarci. Serve a distinguere due tipi umani: quello logico-razionale e quello intuitivo-sentimentale.

Me ne sono accorto nella primavera del 1993, appena messo piede all'«Economist». Il settimanale – una rara storia di successo nel mondo tribolato dei periodici – ritiene che la propria forza stia nella capacità di combinare due tratti: la fantasia e la brillantezza dei Cavalieri, la precisione e la serietà delle Teste Rotonde. E scherzosamente divide così la redazione: *Roundheads* e *Cavaliers*. Due esempi? Bill Emmott, direttore dal 1993 al 2006, era la quintessenza delle Teste Rotonde: preciso, asciutto, capace nell'organizzazione. Daniel Franklin – oggi Business Affairs Editor, e responsabile dell'annuale «The World In...» – rappresenta i Cavalieri: originale, brillante, bravo nella sintesi originale.

Roundheads e *Cavaliers*. Le due anime del giornale si rispettano a vicenda, considerandosi indispensabili al successo comune. La distinzione non presuppone una gerarchia, ma un'amichevole classificazione: e viene estesa anche ai colleghi stranieri.

Sono certo – dopo trenta righe del primo pezzo e appena ho aperto bocca in riunione – di essere stato collocato tra i Cavalieri: più abile con le parole che con i numeri, più dedito all'invenzione che alla rielaborazione. L'articolo che alcuni colleghi ricordano, quasi vent'anni dopo, non è la dotta analisi sulle cause di Tangentopoli, ma un'inchiesta sul legame tra biancheria intima e potere. Non sapevo, allora, che l'esplorazione mi sarebbe servita, un giorno, per capire la politica italiana.

A voi, ora. *Roundheads* e *Cavaliers*: affidabilità e imprevedibilità, precisione e fantasia, dati e metafore. Siete Teste Rotonde o Cavalieri? Vi sentite più inclini all'analisi o alla sintesi, all'organizzazione o alla creazione? Siete precisi o flessibili, deduttivi o intuitivi?

Qualunque sia la risposta, un consiglio. Se appartenete a una tribù, cercate di imparare le virtù dell'altra. Chi è diverso da voi non è un nemico; spesso si rivelerà un alleato. La flessibilità senza precisione rischia di diventare sciatteria. La precisione senza flessibilità può trasformarsi in pedanteria.

Gli italiani di successo nel mondo – quelli che conosco, almeno – hanno saputo combinare questi due elementi: naturalmente Cavalieri, hanno adottato alcuni tratti delle Teste Rotonde. Così facendo hanno rassicurato i colleghi anglosassini, tedeschi, scandinavi, asiatici; senza rinunciare a portare il proprio contributo. Può sembrarvi troppo semplice, come ricetta internazionale: però funziona.

4.2 Originali, non eccentrici

Essere logici è importante, ma non è sufficiente. Non lo pensano solo all'«Economist». Michael J. Gelb, lo studioso di Leonardo citato nell'Apertura, insiste sulla necessità di imitare il suo campione, e sviluppare un equilibrio tra scienza e arte, logica e immaginazione. «Attaccare i problemi usando entrambi i lati del cervello» suggerisce l'autore, mostrando ammirevole pragmatismo americano. Vediamo – semplificando al massimo, e ringraziando Wikipedia – a cosa sono deputate le due zone.

EMISFERO SINISTRO	EMISFERO DESTRO
Logico	*Casuale*
Sequenziale	*Intuitivo*
Razionale	*Olistico*
Analitico	*Sintetico*
Oggettivo	*Soggettivo*
Guarda alle parti	*Guarda all'insieme*

Ricordiamo come gli studi più recenti abbiano smentito la credenza per cui le donne favoriscono l'emisfero destro, e i maschi l'emisfero sinistro. Sintetizzare, classificare e ordinare è fondamentale per tutti – ve lo dice un amante degli elenchi – ma il rischio oggi è di affrontare i problemi seguendo la logica lineare di PowerPoint. Il consiglio invece sta in questa espressione idiomatica:

THINK OUTSIDE THE BOX![1]

Siate originali: pensate fuori dagli schemi. Anche perché, negli schemi/nella scatola, c'è molta concorrenza e poca fantasia.

Esiste, ovviamente, una differenza tra originalità ed eccentricità. La prima comporta un approccio insolito ed efficace ai problemi; la seconda spiazza la controparte, e spesso la mette a disagio. Conosco eccentrici che, da soli, lavorano bene. In gruppo, costringono altri a pagare il prezzo della propria bizzarria. La ricerca scientifica, la medicina e l'architettura sono piene di personaggi del genere.

Esiste, poi, una sottospecie di eccentrico da evitare a ogni costo: l'eccentrico artificioso, che dietro i propri comportamenti nasconde un sostanziale disinteresse per il lavoro degli altri. Se a vent'anni un personaggio simile può provocare tenerezza, a quaranta produce irritazione e a sessanta diventa insopportabile.

Ogni azienda, ufficio, scuola o giornale ospita almeno uno di questi soggetti: è una legge di natura. Mine vaganti, rese più insidiose dalla propria falsa innocenza: fanno quel che vogliono, dicono quel che gli viene in mente, spesso si vestono in modo sciatto o strampalato. È la divisa dell'eccentrico professionale, e vale una sirena d'allarme: si salvi chi può. Il problema è che, talvolta, non si può. E allora bisogna provare a sorriderne.

4.3 Ironici, non sarcastici

L'ironia, insieme alla misericordia, è la forma suprema di elasticità, un esercizio quotidiano di tolleranza, una prova continua di umanità.

L'ironia è parente dello scetticismo, ma non ha alcuna relazione con il cinismo, diventato ormai il marchio della vita pubblica italiana. In politica, il cinismo ha portato alla disonestà. Nel mondo delle imprese e del lavoro, alla rinuncia a progettare. Nei media, è ormai una smorfia professionale e ha prodotto rughe permanenti, anche nei più giovani.

L'ironia è l'opposto della mediocrità. Non esiste l'«ironia media». L'ironia è, per definizione, speciale. È la capacità di leggere la realtà in modo originale; e di dominarla, invece di farsene dominare. Ha scritto Giorgio Manganelli, che se ne intendeva: «Solo l'ironia riesce a cogliere di spalle gli dèi».[2] Poiché gli dèi scarseggiano, potrebbe servirvi per resistere all'ottusità del dirigente del quarto piano.

Una studiosa di Manganelli, Graziella Pulce, ha

spiegato come, per questo autore, le parole fossero «botole che si aprono su precipizi insospettabili».[3] Insospettabili, forse. Ma affascinanti e istruttivi. L'importante è utilizzarli per progredire nella comprensione. Per andare dal basso in alto, se è consentito ribaltare la metafora. Tecnica dell'ascensore: c'è chi, grazie all'ironia, arriva all'attico e chi si ferma al primo piano. L'importante è salire, e allargare la prospettiva.

L'ironia – o la mancanza della medesima – è un indicatore importante, quando si tratta di formarsi un'opinione. Ho incontrato persone intelligenti senza alcun senso dell'umorismo, in vita mia. E ho incontrato persone poco intelligenti prive di ironia. Ma non ho mai incontrato persone ironiche e stupide: le due caratteristiche sono incompatibili.

L'ironia è utile, oggi più che mai. Un sorriso non è, come ritiene qualcuno, una ritirata. È un'avanzata, invece. Il tentativo di portare il problema su un terreno nuovo, dove può essere risolto.

L'ironia è salutare, ma come tutte le cose buone va trattata con delicatezza: rischia di inacidire, e diventare sarcasmo. L'ironia viene dal cuore e dalla testa, è una forma di indulgenza. Il sarcasmo sale dalla pancia e dal fegato, è un genere di condanna. In Italia l'ironia viene generalmente capita e apprezzata, ma è utilizzata poco. Il sarcasmo è invece popolare, ma distrugge convivenze, amicizie, rapporti di lavoro. Gli umoristi sono pochi, in Italia. I sarcastici, legioni.

L'ironia serve a disinnescare le brutte sorprese che inevitabilmente arriveranno, nei rapporti sociali e di lavoro. L'importante è che non condizionino il nostro umore, se non temporaneamente; e non influenzino le nostre prospettive, il nostro rendimento, il nostro carattere. Un eccessivo senso della giustizia può diventare una trappola: soprattutto in Italia, dove le ingiustizie abbondano, e di retorica sulla giustizia tutti si riempiono la bocca.

È importante provare a capire cos'è buono e cosa non lo è (si tratta dell'unico vero, grande insegnamento da dare ai figli). Ed è giusto reagire, davanti all'ingiustizia: la rassegnazione è il marchio di fabbrica delle democrazie al tramonto. Ogni società potrebbe – dovrebbe – compilare un catalogo di ciò che non va. Imbrogli, truffe, falsità, furti, sotterfugi, tradimenti, voltafaccia, favoritismi, scambi sospetti: sono molte le cose che ci costringono a pensare: «Non è giusto!». È una prova di senso civico, non una reazione nevrotica. Ma se questo pensiero ci avvelena la vita, occorre intervenire. La mancanza di giustizia non può provocare una paralisi emozionale, né giustificare la nostra infelicità.

Ecco perché l'ironia è importante. Non è, come sostiene qualcuno, una forma di disimpegno. È invece un modo per rispondere all'imperfezione del mondo. E sorriderne, mentre si cerca di eliminarne un po'.

4.4 Allenate l'intuizione

L'ironia è parente dell'intuizione, che ci aiuta a leggere la realtà, e decidere rapidamente come affrontarla. «Un sistema in cui il nostro cervello raggiunge una conclusione senza dirci subito che sta raggiungendo una conclusione», riassume Malcolm Gladwell in *In un batter di ciglia*.[4]

L'intuizione è intelligenza veloce e inconsapevole. Utilizziamo i cinque sensi e una serie d'altre informazioni – la memoria prima di tutto – per arrivare a una conclusione. Durante un colloquio di lavoro, potreste trovarvi di fronte selezionatori demotivati; ma potrebbe trattarsi di persone allenate a capire rapidamente – grazie all'allenamento, allo studio e all'attitudine per quel compito – chi si trovano davanti.

Non sottovalutate l'intuizione altrui, e allenate la vostra. L'intuizione non è preconcetto. L'intuizione è comprensione folgorante, basata su informazioni relativamente scarse. Il preconcetto è l'incapacità di giudicare in modo nuovo fenomeni nuovi.

L'intuizione non va sopravvalutata, ma spesso porta risultati. Lo psicologo Timothy D. Wilson, autore di *Strangers to Ourselves*, riassume così la questione:

> La mente opera con grande efficacia delegando pensiero d'alto livello all'inconscio, esattamente come un moderno aereo di linea è in grado di volare col pilota automatico, senza alcun intervento, se non occasionale, del pilota umano «conscio». L'inconscio adattabile svolge un eccellente lavoro di comprensione del mondo: ci avverte del pericolo, stabilisce obiettivi, inizia l'azione in modo sofisticato ed efficiente.[5]

La saggezza popolare considera l'intuizione un tratto prevalentemente femminile. Non mi addentro in questioni tanto delicate, ma ricordo che mia madre giudicava le mie giovani amiche con un'occhiata e – mi costa ammetterlo – spesso vedeva lontano. Molti maschi, sono certo, hanno sviluppato la stessa forma di intelligenza intuitiva. Se non l'hanno ancora fatto, imparino, magari studiando mamme, sorelle, amiche e colleghe.

Prima si comincia, meglio è. I giovani sono equipaggiati per affrontare la sfida: le sinapsi contano più dell'esperienza, in certi casi. Malcolm Gladwell, nell'introduzione del libro citato, racconta quest'insolito esperimento.

Un ricercatore universitario consegna ai propri studenti tre video da dieci secondi (poi ridotti a cinque e a due secondi), nei quali sono ripresi alcuni professori durante una lezione. I ragazzi non hanno alcuna difficoltà nell'assegnare una valutazione all'efficacia dei docenti. Incredibilmente, altri studenti, dopo un semestre di lezioni con gli stessi professori, esprimeranno identiche valutazioni.

Sia chiaro: il suggerimento ad allenare l'intuizione non è un invito a privilegiare i giudizi affrettati. È un modo di ricordare che l'intuizione esiste, è uno strumento sofisticato e va preso sul serio. Negli anni delle scelte, può essere di grande aiuto.

4.5 Non cercate continuamente approvazione

La ricerca di approvazione è normale. Tutti preferiamo essere lodati e non criticati, apprezzati e non disprezzati, difesi e non attaccati. Diventa un problema solo quando smette di essere un desiderio, e si trasforma in un'esigenza.

Da giovani la considerazione altrui è fondamentale. L'immagine di noi stessi, durante l'adolescenza, dipende dal gruppo (la classe, la compagnia, la squadra). Con gli anni questo meccanismo si attenua; e nell'età adulta dovrebbe essere scomparso. Si sviluppa una corazza emotiva; non sempre salutare, ma utile a ridurre la dipendenza psicologica e gli sbalzi d'umore. L'opinione altrui è un elemento importante, non certo l'unico. La maturità insegna molte cose. Anche ad affrancarsi dal giudizio esterno, spesso interessato.

Lo psicologo americano Wayne W. Dyer, autore di *Le vostre zone erronee* (sei milioni di copie vendute), sostiene che il bisogno dell'altrui approvazione è un punto debole della personalità moderna. Uno dei più diffusi e insidiosi, perché la ricerca del consenso ad ogni costo modella lentamente il carattere, e produce comportamenti anomali.[6]

Anomali, ma non necessariamente svantaggiosi. Ci sono mestieri – dal commercio alla politica – in cui la ricerca d'approvazione è una necessità professionale. In questi campi, un disturbo caratteriale può diventare funzionale al successo. Bill Clinton e Silvio Berlusconi sono due esempi, distanti geograficamente e ideologicamente, dello spasmodico desiderio di piacere.

Ma è del vostro futuro, non dei politici del passato, che dobbiamo occuparci. Esaminiamo otto casi di ricerca patologica di approvazione, mescolando esempi classici (da *Le vostre zone erronee*) e osservazioni tratte dall'esperienza quotidiana.

1 Cambiare la propria opinione pur di compiacere l'interlocutore

2 Addolcire un'affermazione, nel timore di vedersela rifiutare

3 Adulare sistematicamente il prossimo

4 Ascoltare esprimendo continui cenni di assenso

5 Sentirsi abbattuti o ansiosi quando l'altro dissente

6 Affaticarsi inutilmente, perché si è incapaci di dire di no

7 Lasciarsi intimorire dal venditore, e acquistare cose di cui non si ha bisogno

8 Assumere un atteggiamento ossequioso davanti a qualsiasi persona in divisa

Usate questo elenco come test. Se vi riconoscete in cinque di questi comportamenti, dipendete dall'approvazione altrui. E qualcuno, presto o tardi, ne approfitterà.

4.6 Informatevi, anche se costa fatica

Alzi la mano chi, negli ultimi tempi, non ha pensato, ascoltato, confessato: «Fatico a leggere i giornali, mi deprimono». Sentimento comprensibile, ma sbagliato e controproducente.

Comprensibile perché lo stillicidio di cattive notizie mette a dura prova i nervi e la pazienza. Sbagliato perché siamo cittadini, non sudditi. Controproducente, infine, perché la distrazione cronica ha un prezzo, soprattutto in giovane età. Farà di voi persone disinformate. E l'informazione è potere, anche oggi. Chi sa le cose, parte davanti. Chi non le sa, rincorre.

Il marchio delle democrazie è l'imperfezione inquieta; il segno delle autocrazie è l'ignoranza soddisfatta. Esiste un rischio per i buoni, e una opportunità per i meno buoni: le cattive notizie turbano, la tentazione di rimùoverle è forte. Sulla società occidentale – non solo quella italiana – potremmo appendere il cartello che vediamo sulle maniglie delle stanze d'albergo: DO NOT DISTURB, non disturbare. Le cameriere al piano devono adeguarsi; i cittadini di una democrazia, no.

L'Italia, da qualche tempo, sembra una repubblica fondata sul lavorìo. Illegale. Da Napoli a Roma, da Parma a Palermo, da Genova a Milano: i moderni trafficanti – seguendo l'esempio della classe politica – non si fermano davanti alla possibilità di guadagno e di carriera.

La nostra società sembra aver prodotto una nuova specie di piranha civili, pronti a divorare tutto quello che intravedono. Sociologi e politologi si sbizzarriscono sulle cause; gli educatori si preoccupano dei cattivi esempi. Voi avete un compito: tenere accesa la luce su ambienti e personaggi che non la amano. Perché è nel buio che campano. Di solito, alle nostre spalle.

Non tutti sono d'accordo. Tempo fa mi ha scritto un sacerdote – un sacerdote! – spiegando che è inutile illudersi: la realtà va accettata. «Nelle democrazie moderne i cittadini imparano a scegliere leader che fanno sia i propri sporchi comodi, sia il bene del paese secondo la propria personale e limitata (ma sacrosanta) visione». Gli ho risposto con le parole di un suo collega. Il cardinal Carlo Maria Martini ha scritto: «La coscienza è un muscolo che va allenato e, come per l'atleta, l'esercizio richiede una certa disciplina».[7]

Moralismo? No, senso morale. E buon senso. Nessuna trasformazione è possibile, nessuna Italia nuova è pensabile, se non sentiremo certi comportamenti come gravi, colpevoli e pericolosi. Il cinismo – lo abbiamo appena visto – è di moda. Ma spesso è solo il soprabito per nascondere le nostre pigrizie. O, peggio, le nostre complicità.

Tocca ai magistrati stabilire le responsabilità. Tocca al Parlamento – non ai giornali – stabilire quali e quante intercettazioni si possano pubblicare. Ma non cadiamo nella rete astuta dei formalisti interessati, secondo cui è più importante la cornice del ritratto. E il ritratto che vediamo è agghiacciante. Un paese pronto a giustificare l'ingiustificabile, a paragonare l'imparagonabile e a perdonare l'imperdonabile, se fa comodo alla propria fazione.

Informatevi, anche se costa fatica. Perché i protagonisti di certe brutte storie questo vogliono: che non scriviamo, che non leggiamo, che non pensiamo più a loro.

4.7 Dotatevi di airbag mentale (il mondo può essere duro)

Apro la posta, e trovo un messaggio con allegato il curriculum di Claudia D. Lo leggo e rispondo, dicendo che purtroppo non ho alcun lavoro da offrirle e poche indicazioni da darle. Passano tre ore e Claudia si fa di nuovo viva: «Grazie. Ho spedito 120 curriculum in due mesi, e lei è l'unico che mi ha risposto».

Centoventi curriculum e una risposta? La notizia – sarete d'accordo – ha qualcosa di simpaticamente trogloditico. Anzi, tolgo l'avverbio e lascio l'aggettivo: un mercato del lavoro che funziona così è davvero preistorico. Ma recriminare non serve. È evidente che l'Italia è un paese in bilico fra tribalismo e modernità. Ma se vogliamo lasciare il primo e avvicinarci alla seconda, dobbiamo provare a ragionare. Magari sui curriculum. C'è qualcosa da imparare.

Dunque: centodiciannove messaggi senza risposta. Perché? Ecco sei ipotesi.

Claudia racconta bugie per impietosire. Ipotesi suggestiva, ma smentita dall'esperienza. In Europa organizzazioni, aziende e uffici rispondono alle domande di assunzione/collaborazione: magari per dire «No, grazie». In Italia non accade.

Claudia s'è presentata con un curriculum scadente. Dico: e se anche fosse? Una risposta costa tanto? (Per Claudia, se sta leggendo: era solo un'ipotesi, il suo curriculum era più che dignitoso.)

Claudia ha un curriculum adeguato, ma l'ha scritto nel modo sbagliato. Di nuovo, è un'ipotesi di scuola: ma merita d'essere approfondita. I curriculum – non «curricula»: la parola è entrata nella lingua italiana e non prende il plurale originale – vanno scritti in modo semplice e chiaro; così la lettera d'accompagnamento. Niente spiritosaggini, niente italiese (italiano+inglese), niente ridicole formule rituali («... in attesa di un Suo gentile riscontro»). Conosco l'obiezione: ma certi datori di lavoro s'aspettano questo! Rispondo: se un datore di lavoro apprezza frasi come «Le mie skills sono il problem solving e il project financing», alla larga. Potrebbe assumervi: ma vi conviene?

Claudia è sfortunata. Le persone cui s'è rivolta ritengono che il silenzio costituisca una risposta (negativa); e pensano che una letterina standard («Ci dispiace, ma i nostri organici sono al completo») costituisca una magra consolazione. Non è vero: è meglio di niente. Ho incorniciato le lettere con cui Indro Montanelli ed Eugenio Scalfari, nel 1978, su carta intestata dei rispettivi giornali, mi comunicavano l'intenzione di rinunciare a malincuore all'apporto di un ventunenne aspirante giornalista. Sono contento che i due mi abbiano risposto (ancora più felice che il primo, tre anni dopo, abbia cambiato idea).

Claudia non ha capito che le aziende cui s'è rivolta non assumono in questo modo. Pensano, anzi: una ragazza che si presenta mandando il curriculum, senza farlo precedere da una telefonata del vicedirettore della filiale X, vive nel Paese dei Balocchi. Meglio non averci a che fare.

Claudia non sa che le organizzazioni cui ha spedito i curriculum non sanno come gestirlo. Questa è l'ipotesi che, tra tutte, prediligo. Mi è stata confermata dall'amministratore delegato di un noto gruppo italiano – non dico quale per non gettare nel panico la divisione «risorse umane». A suo parere, l'esame delle domande di lavoro, nelle grandi aziende, è spesso affidata a persone inadeguate e demotivate. Se è vero, dico: perché non le sostituite? Magari con un tipo come Claudia D. Ha 33 anni, presenta buone referenze, è laureata, parla inglese e sa anche giocare a pallone.

Post Scriptum. Se qualcuno di voi, a differenza di Claudia, arrivasse al colloquio, eviti questi tre classici eccessi.

SAN SEBASTIANO: approccio sacrificale e dolente. Il candidato, dopo numerosi tentativi a vuoto, esprime il proprio disincanto, la propria stanchezza, la propria sfiducia verso il genere umano. L'azienda prende atto, e scaglia un'altra freccia sul poveretto.

SAN TOMMASO: approccio guardingo, atteggiamento diffidente, tono petulante. Il candidato risponde a monosillabi, gli occhi rivelano un atteggiamento sospettoso. Chiede subito quanto guadagnerà, dove si trova la sua stanza e quali saranno i suoi orari. L'azienda prende congedo.

SAN PELLEGRINO: approccio frizzante, addirittura effervescente. Il candidato entra con passo molleggiato, sorride come un presentatore televisivo, stringe la mano agli addetti alle pulizie. È ottimista, contento, quasi euforico. È così elegante che i presenti pensano sia reduce da un matrimonio (la candidata ha invece una scollatura carsica e un tacco dolomitico). L'azienda prende tempo, e assume un altro (o un'altra).

4.8 Viaggiate leggeri

Terraferma di Emanuele Crialese è un buon film. Non la solita storia di ieri per non parlare dell'Italia di oggi. Un film attuale, invece: pensato, pulito e luminoso. Alcune immagini sembrano uscire da un sogno. I turisti che ballano *Maracaibo* sul ponte del peschereccio sono indimenticabili. Come i migranti che, nello stesso mare, lasciamo morire.

È il film sulla Sicilia che Giuseppe Tornatore non è riuscito a fare con *Baarìa*. Lo dico da ammiratore: sono convinto di sapere perché sia andata così e il regista di *Nuovo cinema Paradiso* sia scivolato in purgatorio. Troppe risorse, troppe possibilità, troppi amici, troppe proposte, troppe aspettative, troppe responsabilità. Crialese voleva fare un film, non un capolavoro – il capolavoro è sempre preterintenzionale – e viaggiava leggero: meno risorse, meno possibilità, meno aspettative.

Non accade solo ai registi e agli attori, ai musicisti o agli scrittori. Accade a molti professionisti, a tanti uomini e donne d'azienda. Potrebbe accadere, presto, anche a voi. Il curriculum, una volta partiti, si appesantisce in fretta. Arrivati a una certa età, e a un certo punto della carriera, trasciniamo un carico impegnativo, e non vogliamo lasciare nulla. Ma la vita non consente l'eccesso-bagaglio.

Le biografie si allungano, le esperienze si accumulano: posizioni e promozioni, opere e riconoscimenti. Neppure questo basta, per molti. Cercano altri incarichi, nuovi posti, altri riconoscimenti. Se l'autostima è proporzionale al numero di opere e incarichi, tuttavia, abbiamo un problema.

Lo vedo dovunque, in un'età in cui la somma aritmetica delle esperienze diventa, comunque, una carriera; e metto in guardia chi ha meno anni, ma presto – sono certo – avrà molto da raccontare. È come se avessimo bisogno delle prove di aver vissuto (professionalmente, e non solo); l'accumulo di vecchie referenze, però, non facilita la ricerca di nuove idee. Ecco perché certi film li girano i registi meno esposti, certi libri li scrivono i nuovi scrittori, certe imprese le guidano i giovani imprenditori (una categoria che Confindustria spinge oltre i confini della biologia, ma questo è un altro discorso).

Cure? Una sola: fare meno cose, farle meglio. Dare tempo all'imprevisto e spazio alle novità. Gli inglesi parlano di *serendipity*: trovare quello che non si sta cercando. Il vocabolo è stato coniato nel 1754 da Horace Walpole, che in una lettera narrava l'antica leggenda dei tre principi di Serendip (nome persiano dell'isola di Ceylon, oggi Sri Lanka), «i quali facevano sempre scoperte, per caso e per sagacia, di cose di cui non erano alla ricerca». Una volta, partiti per cercare l'oro all'interno dell'isola, non lo trovarono, ma si imbatterono in una nuova specie di tè, che alla lunga si rivelò ben più preziosa.

Voi non siete principi orientali, non viaggiate con cammelli ed elefanti. Ma se le vostre giornate sono troppo piene, il cervello segna sempre «occupato», come i bagni negli autogrill la domenica pomeriggio. È difficile che l'ispirazione trovi accoglienza.

John Lennon compose *Nowhere Man* sdraiato sul divano giallo regalatogli dalla zia; Paul McCartney concepì *Yellow Submarine* nel dormiveglia; il testo di *I'm Only Sleeping* venne scarabocchiato sul sollecito di pagamento di una bolletta; quello di *A Hard Day's Night* sul retro di un biglietto di auguri. Anche a noi, umani di serie, le idee migliori vengono al mattino sotto la doccia, su un aeroplano, pedalando, correndo o nuotando. Sono i momenti in cui non chiamiamo, rispondiamo, navighiamo, scriviamo e clicchiamo, cercando di dare un senso alle nostre giornate.

Viaggiate leggeri per andare lontano. Fino alla *Terraferma*, come Crialese. O magari verso l'isola che non c'è, ma non per questo dovete smettere di cercare.

5

Totem

Siate leali

Innanzitutto di' a te stesso chi vuoi essere;
poi fa' ogni cosa di conseguenza
Epitteto, *Dissertazioni*

5.1 Non cercate scuse

Non cercate continuamente scorciatoie. Le scorciatoie italiane sono affollate come i lungomare d'agosto. Non invocate sempre attenuanti. Ve ne concedereste in abbondanza. Non accampate scuse e giustificazioni. Nel giudizio su noi stessi – lo sapete – non c'è giudice più clemente di noi.

Prendiamo un luogo visibile ed esemplare: un parcheggio dei taxi in una grande città, Roma. Nessuno sa dove abbia inizio la fila, così gli stranieri possono gustare un assaggio di anarchia, condita di piccoli soprusi e imprevedibili generosità. Ecco perché piace, il nostro paese (finché non diventa snervante): una coda per il taxi, in Olanda, è una coda per il taxi. In Italia è una pièce teatrale, non inferiore a quella che va in scena nel teatro lì vicino.

Quanti taxisti chiedono di allacciare la cintura di sicurezza posteriore? Pochi. Quanti passeggeri ricordano di farlo, prima di attaccarsi al cellulare? Pochissimi. Certo, nei taxi ci sono gli avvisi. Ovvio, il codice della strada lo prevede. Chiaro, in caso d'incidente la responsabilità è del conducente. E potete star sicuri che il passeggero noncurante, se dimentica d'allacciare la cintura e si rompe il naso, diventa un cittadino querulo e litigioso, pronto a correre dall'avvocato.

Domandatevi: perché tutto questo? Risposta: perché l'obbligo della cintura posteriore fa parte dei RITI, Regole Italiane Tranquillamente Ignorate. Qualcuno le ha definite «una singolarissima forma di *common law*».[1] Un meccanismo che mette in difficoltà gli stranieri, perché non sta scritto da nessuna parte. Un olandese non può entrare in libreria e acquistare «Norme non scritte di vita italiana. In appendice, piccolo dizionario dell'illegalità di massa». Deve capire, dedurre, apprendere l'arte antica dell'auto-assoluzione. Tutte cose che, arrivando a Roma da Rotterdam, richiedono tempo.

Ecco alcuni RITI stradali. Raccontano l'Italia meglio di tanti discorsi.

1 Il pedone sulle strisce deve aspettare che autoveicoli e motoveicoli siano passati. Se tenta di far valere il diritto ad attraversare è un piantagrane e merita, come minimo, uno spavento.

2 Il divieto di sosta non esiste. O meglio esiste, ma viene invalidato dalle quattro frecce lampeggianti.

3 Il divieto di fermata è moralmente sospeso in caso di urgenze (vestito in tintoria, gelato che si scioglie, caffè con gli amici).

4 I divieti di fermata e di sosta sono annullati nel caso il proprietario dell'autovettura resti in zona, e veda sopraggiungere il vigile.

5 L'orario d'arrivo indicato sul gratta-e-sosta è ritardato di trenta minuti rispetto a quello effettivo. Se in quella mezz'ora ci mettono la multa, sono dei pignoli dispettosi.

6 Il divieto di transito è moralmente nullo per coloro che, imboccandolo, risparmiano un lungo giro per arrivare a casa.

7 Il limite di velocità in autostrada (130 km/h) vale solo per le auto che, a quel limite, non arrivano comunque. Gli altri veicoli sono autorizzati a correre come gli pare. Soprattutto le auto sportive metallizzate, le auto con targa svizzera e tutte quelle coi vetri fumé.

8 Le corsie preferenziali, di preferenza, non vanno usate dai privati (lo dice la parola stessa). Ma se uno ha veramente fretta, il discorso cambia.

Abbiamo scherzato, ma dietro il paradosso la questione è seria. In Italia – non solo sulle strade – i controllori sono spesso distratti, imprevedibili, disinteressati. Tocca a voi, dunque, scegliere le regole, e rispettarle.

Dicevamo in apertura: alzate un totem e restategli fedeli. Non mentite, non imbrogliate, non rubate. Se dite una cosa, ricordatevene. Se fate una promessa, mantenetela. È una prova di serietà, rassicurante per le persone intorno a voi. E un modo di risparmiare energie. Non vi stancherete percorrendo scorciatoie scomode e indecorose. Andrete diritti per la vostra strada, e sarete sorpresi di trovarla sgombra.

5.2 Frequentate persone oneste

Perché sottrarre il posteggio ai disabili – una piccola/ grande infamia in ogni paese civile – in Italia è una pratica diffusa? Perché denunciare un terzo del reddito viene considerato un peccato veniale? Perché copiare la tesi di laurea, o gonfiare le note spese, viene spesso giustificato (dall'interessato, dalla famiglia, dagli amici)?

In una società sana, un cattivo comportamento provoca una sensazione di malessere. Il disagio è il primo campanello d'allarme. Ma il campanello italiano, spesso, non suona. Perché?

Risposta: perché il disagio personale è collegato alla disapprovazione sociale. In Italia, spesso, questa disapprovazione non c'è. Quando c'è, sappiamo come evitarla. Per non sentirsi prepotenti, è sufficiente bazzicare altri prepotenti. Per convivere col proprio egoismo, basta frequentare altri egoisti. Per non sentire il cattivo sapore dell'inciviltà, è sufficiente succhiare le solite, dolciastre attenuanti offerte dagli incivili: così fan tutti, tutti colpevoli nessun colpevole, suvvia non facciamo i moralisti.

Gli esseri umani sono animali sociali. Anche i misantropi, in fondo, vogliono sentirsi graditi e apprezzati. Abituarsi ai cattivi comportamenti è semplice: basta circondarsi di complici e adulatori. La loro indulgenza è un conforto; la loro indifferenza, una rassicurazione. I critici onesti vengono, a poco a poco, allontanati: perché ogni loro sguardo è un giudizio, e a un giudizio potrebbe seguire uno scomodo esame di coscienza.

La saggezza e la letteratura popolare lo hanno sempre saputo. Sono innumerevoli i proverbi e i racconti che mettono in guardia dalle cattive compagnie (pensate a *Pinocchio*). Circondarsi di persone oneste non è solo una difesa, è una strategia. Saranno lo specchio involontario dei nostri comportamenti. Le peggiori disavventure pubbliche, costate al paese molti miliardi e molti ritardi, poggiano sempre sullo stesso meccanismo: un gruppo di disonesti si sostengono e si giustificano a vicenda. Le malefatte vengono derubricate a semplici astuzie; le menzogne a manovre tattiche; i furti a rimborsi informali.

Avessero frequentato persone oneste, certi presidenti, certi governatori, certi onorevoli e certi amministratori si sarebbero vergognati. Non volevano vergognarsi, e non l'hanno fatto: si sono circondati, perciò, di persone come loro. Assolutori ambulanti. A pagamento, s'intende.

5.3 Ragionate prima di accodarvi

«Non facciamo altro che sentire, e l'abbiamo confuso col pensare. E da tutto ciò si ottiene solo un aggregato che consideriamo una benedizione. Il suo nome è opinione pubblica. È considerata con riverenza. Risolve tutto. Alcuni credono sia la voce di Dio.»[2]

Brillante intuizione, quella di Mark Twain, nato Samuel Langhorne Clemens (1835-1910). Sentire è un processo immediato, pensare un esercizio prolungato. La gente non ha tempo né voglia di trovare le informazioni e trarre le conclusioni. Non solo in Italia: in tutte le democrazie. La mole delle notizie affatica e disturba. E noi – lo abbiamo visto – non vogliamo essere disturbati.

C'è un lato oscuro e complice negli italiani (Ermanno Rea, *La fabbrica dell'obbedienza*), che ci ostiniamo a ignorare.[3] La politica l'ha capito. Utilizza perciò i temi, i modi e i tempi della pubblicità e dell'intrattenimento: populismo in abbondanza e poche informazioni gratificanti, al momento giusto. I candidati americani si svenano per acquistare spot televisivi alla vigilia delle elezioni; i politici britannici combattono per l'appoggio dei tabloid, corteggiando sfacciatamente i loro proprietari; Silvio Berlusconi ha mantenuto a lungo il consenso attraverso promesse e semplificazioni che i media (posseduti e controllati) diffondevano oltre il Five Million Club, i cinque milioni di italiani bene informati, che parlano molto ma contano poco.

In attesa di sapere cosa avverrà – e quale dei populismi avrà la meglio – pensiamo a cosa ci è toccato sentire in Italia, negli ultimi anni. Il conflitto d'interessi è stato cancellato dal voto! Affermazione seducente ma fallace, anche perché il voto può essere – anzi è – condizionato dal conflitto di interessi. Il giudice ultimo è il popolo! Suona bene, ma non c'è scritto nella Costituzione, che invece prevede la divisione dei poteri (legislativo, esecutivo, giudiziario). La vita privata è sacra! Non sempre: di un leader dobbiamo valutare la coerenza, l'affidabilità, l'onestà, la responsabilità.

Chi ascoltava s'innamorava delle frasi col punto esclamativo (!). Chi pensava arrivava facilmente alle obiezioni. Ma c'è poco tempo per pensare, nelle nostre vite complicate e iperconnesse. Ce n'è abbastanza per sentire, invece. Chi sa trovare il momento e il modo riuscirà a convincerci. Perché siamo informatissimi e disinformati, cinici e ingenui, sensibili e insensati, disarmati e presuntuosi. Siamo l'opinione pubblica, e dovremmo svegliarci.

5.4 Studiate il calcio (non imitatelo)

Il calcio è lo specchio deformato del paese: non l'unico, certo uno dei più interessanti. Possiamo non essere contenti dell'immagine che ci restituisce; ma quella è la nostra faccia.

Nel calcio abbiamo trasferito alcuni meccanismi psicologici collettivi: tra questi, il tribalismo fazioso. Mario Sconcerti, dopo le ammissioni del marciatore Alex Schwazer, scoperto ad assumere sostanze proibite alla vigilia della prova olimpica a Londra, ha scritto sul «Corriere»: «Se fosse stato un calciatore, avrebbe potuto negare tutto e i suoi tifosi l'avrebbero difeso».[4] È così. L'eccitazione e la rassicurazione della tribù sono piaceri superiori a quello dell'obiettività e dell'onestà intellettuale. I tifosi – noi tifosi – siamo contradaioli senza cavalli e senza trofei: la nostra corsa è fine a se stessa, e non termina mai.

C'è un aspetto poetico, nel tifo calcistico, che ha prodotto molti ricordi, tante buone amicizie e qualche bella pagina. Finché gli occhi, la testa e il cuore vedono e dicono le stesse cose, va tutto bene. Ma quando gli occhi e la testa sono obbligati a smentire il cuore, vengono zittiti. In materia di calcio, conta la fede. Che notoriamente, come insegna la storia del mondo, non intende sentire ragioni.

C'è addirittura un orgoglio intellettuale nel negare l'evidenza con eleganza. È lo stesso orgoglio che rende piacevoli certe vigilie allo stadio o certe serate al bar; e ha guidato la vita di tanti militanti politici. Trovare un modo di dar ragione alla propria parte anche quando ha torto! Questa è la sfida.

Noi ragioniamo, in queste materie, come uffici stampa, dedicati a un cliente che non ci paga. Della nostra squadra non siamo solo tifosi, siamo avvocati difensori: diamo ragione all'assistito oppure tacciamo (solo in casi eccezionali rinunciamo all'incarico). È un destino amaro e romantico, che ci obbliga a sperare che l'assistito sia innocente. Alcune tifoserie, negli ultimi anni, sono state più fortunate di altre. Ma non è detto che vada sempre così.

Dire la verità, nell'Italia faziosa, viene considerato un tradimento, se la verità danneggia la propria parte. Prendiamo una partita di cui s'è parlato molto: Milan-Juventus, 25 febbraio 2012, stadio di San Siro. Il pallone, calciato dal rossonero Sulley Muntari, supera abbondantemente la linea di porta: è gol, sarebbe 2-0 per il Milan, ma arbitro e guardalinee non se ne accorgono. E i giocatori? Il portiere bianconero Gianluigi Buffon e il difensore rossonero Thiago Silva riassumono la questione.

Buffon: «Non ho visto se la palla è entrata, ma non avrei aiutato l'arbitro». E poi, rispondendo al presidente degli arbitri, Marcello Nicchi: «Non ho capito che tipo di aiuto chiede, altrimenti arbitrano i giocatori. Sinceramente non capisco, è una retorica avvilente, stucchevole». Thiago Silva: «Anch'io avrei fatto lo stesso, il calcio è la mia vita, è il mio lavoro, avrei fatto come lui, non avrei parlato».

Onestà = retorica, nel calcio di oggi. C'è altro da

aggiungere? I tifosi – salvo eccezioni – si comportano allo stesso modo. Prima i colori, poi i princìpi. È malinconico, ma non sorprendente, che i calciatori siano disposti a dire qualsiasi cosa pur di non mettere in difficoltà la propria società: sono professionisti ben pagati. Ma che noi facciamo lo stesso, gratis e senza che ce lo chiedano: be', questo è grave. Ed è ancora più grave che ci comportiamo così anche lontano da uno stadio.

Quando parlate della vostra parte politica, della vostra azienda o della vostra professione o della vostra categoria, cercate di essere leali. L'obiettività non esiste; ma esiste la tensione per arrivarci, ed è questa che ammiriamo. Ognuno di noi è il prodotto delle proprie esperienze, delle proprie idee e del proprio carattere. Storia, testa, cuore. Il fegato, quando dobbiamo esprimere un giudizio, non c'entra.

5.5 Non sprecate la commozione

Sullo striscione di un gruppo di ragazzi a Brindisi, dopo l'attentato del 19 maggio 2012 davanti alla scuola «Morvillo-Falcone», costato la vita alla sedicenne Melissa Bassi: «Siamo cittadini di un paese che si ricorda di stare unito quando si muore». Riassunto impeccabile di un paradosso apparente (e non è un caso che siano stati i più giovani tra noi a scoprirlo). Il dolore è un'emozione forte. E di questa abbiamo bisogno – purtroppo – per capire cosa rischiamo di perdere.

Meglio che non capire mai nulla, dirà qualcuno. Certo. Ma sarebbe utile – e prudente – capire senza sollecitazioni estreme. Se quell'attacco premeditato contro una folata di ragazzine non suscitasse in voi repulsione e coesione, diciamolo: non dovreste preoccuparvi del vostro paese, ma della vostra umanità.

Lo ricordate? Strano, cupo fine settimana. Scosse di terremoto nell'Italia del Nord, un'esplosione in Puglia, e qualcuno che metteva in giro sciocchezze sulle profezie Maya. I terremoti ci sono sempre stati. I mostri tra noi sono sempre esistiti, purtroppo. Le stragi degli innocenti sono avvenute anche in passato: nella mitologia, nella storia e in un'isoletta vicina a Oslo, città civilissima. Oggi queste vicende si conoscono e si condividono di più, e finiscono per essere ingigantite. Non è un male, a una condizione: saper usare le emozioni come carburante per il futuro. Ed è quello che, in Italia, non abbiamo ancora imparato a fare.

Ero a Cagliari, il giorno dell'attentato, e nuvole metalliche scendevano sopra la Sella del Diavolo. Il Poetto, una delle più maestose spiagge urbane d'Europa, sembrava vergognarsi d'aver dato ospitalità a tante generazioni festose. Dietro, nello stagno, migliaia di fenicotteri – *sa genti arrubia*, la gente rossa – stretti in un rettangolo, quasi a farsi coraggio. «Una di quelle domeniche che se non piovesse ti chiederesti perché non lo sta facendo», ha twittato Michela Murgia, sarda anche lei, come quel cielo e quelle montagne.

Tentazione umana e poetica, quella della tristezza. Potete cedervi, ad un patto. Dovete imparare a usare questi momenti di spaesamento per rileggere e ripensare la nostra vita collettiva. Per riflettere sui tanti, piccoli orrori quotidiani cui ci siamo abituati; sui malvagi che perdoniamo perché sorridono; sugli ignavi che li lasciano fare; sugli incoscienti che ci scaricano addosso il peso delle loro pericolose fantasie.

«Siamo cittadini di un paese che si ricorda di stare unito quando si muore.» O si vince. La commedia italiana – per non finire in tragedia – ha bisogno di un nuovo atto e di un nuovo patto. Ma il patto non si vede. Si vede una tregua e una penitenza, di cui il governo Monti è, in qualche modo, un'espressione. Ma non basta.

Terremoto e terrore portato dall'uomo, in poche ore: ma la terra non ha le nostre colpe. Il caso ha voluto che in poche ore due paure si unissero, legate da un filo oscuro. Usatele, ripeto, queste coincidenze sfortunate: e fatene uscire qualcosa di buono. Siamo una nazione che, per accelerare, ha bisogno di arrivare al fuori-giri; e non va bene. Dobbiamo adottare il rumore rassicurante delle democrazie, motori robusti che prendono ritmo col viaggio.

Certo: occorre sapere dove andare, e poi andarci.

5.6 Evitate la sciatteria

«Congratulazioni: la tua richiesta per diventare il custode della parola è stata accettata.» La Società Dante Alighieri propone di adottare un lemma. Ho scelto «sciatto». Il rischio italiano in sette lettere: una mancanza leggera, un'imprecisione cronica e veniale, per questo ancora più subdola. Le colpe *light* danneggiano l'Italia quotidiana: perché tendiamo a giustificarle facilmente, senza turbamenti e rimorsi.

Sciatto. È un aggettivo del mio lessico familiare. Se in casa Severgnini, a metà anni Sessanta, qualcuno si presentava a cena spettinato, in pigiama e ciabatte, era sciatto. Una sentenza, più che una descrizione. Poiché mamma e papà queste cose non le facevano, mio fratello era troppo piccolo e mia sorella non accettava critiche, quello sciatto potevo essere soltanto io.

Non mi dispiaceva. Avevo colto subito il fascino

dell'aggettivo, che spesso veniva utilizzato in combinazione con altri: sbracato (un'indicazione sull'abbigliamento) e debosciato (un commento sull'atteggiamento). La sciatteria era una colpa veniale, espiabile con un sorriso e correggibile con un pettine. Ma io ero un bambino di sette anni, non uno Stato di centocinquantuno.

Ci sono i bravi e i cattivi in Italia, ma costituiscono due minoranze. La maggior parte di noi – mi metto nel mucchio – soffre di ricorrenti microsciatterie. Sulla bandiera è cucito un motto invisibile: «Pressappoco». Se una nuova generazione volesse cambiarlo, le saremmo grati. Non è mai troppo tardi.

Certo, l'esempio dall'alto è spesso catastrofico, per usare un eufemismo. Il dibattito politico italiano appare desolante e incomprensibile, fatto solo di annunci e strilli. Coerenza e memoria – ma non avevi detto questo? Non avevi promesso quello? – sono qualità inutili. Sì, siamo diventati una nazione sciatta. In milanese moderno: «*sloppy nation*».

Precisione, efficacia e serietà non sono sinonimi di pedanteria: quest'ultima è un rischio che noi italiani non correremo mai. Precisione ed efficacia sono una garanzia per chi lavora con voi; e vi verrà prontamente riconosciuta. Non mi stancherò mai di scriverlo. Se volete avere successo nel mondo, unite precisione e intuizione. Quest'ultima è una dote: rallegratevene. La prima è una conquista: lavorateci.

5.7 Rispettate le competenze

Luca Sofri, fondatore della testata online «Il Post», è un ottimista. Appartiene cioè a un club cui alcuni italiani s'iscrivono, periodicamente; per poi dare le dimissioni, sfiduciati. Un libro intitolato *Un grande paese* lo può firmare l'orgoglioso residente d'un laborioso borgo lombardo (Soresina? Orzinuovi?). Il nostro autore, invece, scrive minuscolo e pensa maiuscolo. «Grande paese» scrive «è la definizione che vorremmo poter dare dell'Italia, senza che ci scappi da ridere.»[5] O da piangere, a seconda dei casi e dell'umore.

Luca S. procede in modo didattico, quasi avesse dubbi sulla voglia del lettore di seguirlo lungo i sentieri dell'amor patrio. Cercando di intuire «l'Italia tra vent'anni e chi la cambierà» tocca, nei capitoli centrali, un tema cruciale. Uno di quei temi che, trasportati in televisione, producono dati d'ascolto degni di un etilometro (0,2 per cento?).

Il tema è: l'elitismo. Vi prego, continuate a leggere: la questione è centrale, in un libro come questo. Sofri, citando una moltitudine di fonti, ricorda che attraversiamo un periodo in cui:

a) l'ignoranza è chic

b) lo sbagliato è sdoganato

c) la mediocrità non conosce vergogna né sanzioni

d) l'assenza di ambizione è premiata

e) le *élites* vengono viste come consorterie di potere, chiuse al ricambio

f) l'idea che ci siano persone di qualità superiore suscita repulsione.

L'autore protesta: non vogliamo «uno come noi» a governarci! Vogliamo uno migliore, possibilmente. Più competente, per esempio. Per quel che conta, sono d'accordo; spero lo siate anche voi. L'idea che l'uomo della strada costruisca un ponte mi terrorizza: preferisco se ne occupi un ingegnere strutturale. Per lo stesso motivo vorrei eleggere il mio rappresentante in Parlamento, e non avallare la scelta di uno scudiero da parte del Signore del Partito. Ma, se lo scrivo, i neo-populisti strillano: «Smettila, snob!».

«In una società come la nostra, bisognosa di buone guide e buoni esempi, si investe deliberatamente sulla disinformazione dei cittadini, poi s'idolatra la volontà popolare» argomenta Sofri. «Se qualcuno prova a ricostruire un discorso o una politica basata su progetti pedagogici e non demagogici gli vengono scaricate addosso le devastanti accuse di elitarismo, presunzione intellettuale e superiorità morale.» È stato il trucchetto di Sarah Palin nel 2008: ma nella Big Country l'hanno scoperto subito. Nel nostro, ipotetico Grande paese – perché potrebbe diventarlo, questo è il punto – siamo più lenti. I populisti, invece, sono reduci da un decennio ruggente.

Solo i risultati del populismo – il rischio della bancarotta nazionale è il più visibile, non necessariamente il più grave – hanno fatto scattare l'allarme nella testa di qualcuno. Ma molte teste, in Italia, sono insonorizzate. Sentono solo il richiamo della tribù, come abbiamo spiegato. E la mediocrità – diciamolo – è una tentazione. Produce ascolti, copie, applausi, voti. «Diamo al pubblico ciò che vuole! Viva il paese reale!» Ma se il paese reale s'appassiona alle vicende di Belén e crede a certi telegiornali, perché non gli dite di smettere, voi che potete farlo?

5.8 Cercate buoni maestri

Secondo la tradizione induista, esistono quattro età della vita: nella prima si impara, nella seconda si produce, nella terza si insegna, nella quarta si mendica, preparandosi all'uscita di scena. In Italia abbiamo allungato la prima età, sottovalutato la seconda e complicato la quarta. In quanto alla terza, viene trascurata. I maestri hanno preso congedo illimitato.

Non parliamo di scuole, ovviamente. Lì i maestri e gli insegnanti ci sono (bravi e meno bravi, motivati e demotivati). Parliamo della trasmissione della saggezza; del piacere di aiutare chi viene dopo. Non si tratta soltanto di trasferire un'esperienza, ma di suggerire una prospettiva. Ogni volta che scompare un personaggio capace di questo sforzo la sensazione è netta: se ne va un altro che aveva qualcosa da dirci.

Alcuni trapassi, negli ultimi anni, hanno lasciato un vuoto. Vuoti diversi, per segno e profondità. Vuoti familiari e privati, spesso. Ma anche vuoti pubblici, avvertiti perfino in un tempo superficiale come il nostro. Da Carlo Maria Martini a Steve Jobs, da Indro Montanelli a Enzo Biagi, da Lucio Dalla a Giorgio Gaber, da Fabrizio De André a Fernanda Pivano, da Oriana Fallaci a Tiziano Terzani. Vuoti sacri e vuoti profani. Vuoti lasciati da persone imperfette, spesso. Accomunate però da una qualità misteriosa: la capacità di toccare il cuore, soprattutto nei più giovani. Non esempi, non necessariamente. Maestri.

Non è un titolo che spetta a molti, anche perché pochi sembrano interessati a conseguirlo. Esiste uno speciale egoismo contemporaneo che ha preso forme accattivanti e guadagnato smalto. Qualcuno lo chiama individualismo; altri, realismo. Molti teorizzano la necessità di viziarsi, di salvaguardarsi, di pensare a sé. «Fatevi le coccole» è una delle più fastidiose espressioni pubblicitarie degli ultimi anni: le coccole si fanno ai bambini e a chi si ama, non a se stessi. Esiste l'onanismo del cuore, anche se non ne parla nessuno.

I maestri di cui abbiamo bisogno non fanno coccole: offrono aiuto sotto forma di azione e pensieri. Indicano una via e la illuminano. Può essere una scala verso il cielo, se uno crede all'aldilà o ai Led Zeppelin; o soltanto un passaggio sicuro nel bosco delle decisioni difficili. I maestri non chiedono niente in cambio: la loro ricompensa è nella possibilità di dare, e nel sentirsi utili.

Ci sono rischi, ovviamente. L'enorme domanda di maestri ha portato a un'offerta vasta, varia e insidiosa. La parodia del carisma può ingannare chi cerca e ha fretta di trovare. Psicologi e filosofi trasformati in santoni; spericolati improvvisatori new-age; sacerdoti che posano da guru; confraternite che dispensano dal pensare e, nel calore del gruppo, addormentano le coscienze. Anche la penuria di leader politici ha pesato (abbiamo partiti privatizzati, ma è un'altra cosa). Non si chiede a uno statista di diventare un profeta; ma di offrire ispirazione e speranza, questo sì.

Trovare i propri maestri è un'operazione delicata. È bene procedere con cautela, senza informare neppure gli interessati. Notate il plurale: anche in questo campo, è bene infatti diversificare gli investimenti per ridurre il rischio. Rischio di delusioni, rischio di tradimenti, rischio di plagio. Al di fuori delle questioni di fede, è bene scegliere con un po' di ironia. I buoni maestri non si prendono troppo sul serio; non si capisce perché dovremmo farlo noi.

Scegliete con cura i vostri maestri, quindi. Sostitui-

teli se vi deludono, non adorateli mai e giudicateli
sempre. Ma trovatene: saranno termini di paragone e
punti di riferimento nel momento delle scelte.

> *Tout est toujours à remailler du monde.*
> *Le paradis est épars, je le sais,*
> *c'est la tâche terrestre d'en reconnaître*
> *les fleurs disséminées dans l'herbe pauvre.*

> Nel mondo tutto è sempre da ricucire.
> Il paradiso è sparso, lo so,
> è compito terrestre riconoscerne
> i fiori disseminati dell'erba povera.[6]

Ecco: cercate qualcuno che vi aiuti nella ricerca sug-
gerita da Yves Bonnefoy. Non sarà facile. L'erba è cal-
pestata da scarponi pesanti, ma i fiori sono testardi.
Cercate di esserlo anche voi.

6

Tenerezza

Siate morbidi

*Conosco un posto nel mio cuore
dove tira sempre il vento
per i tuoi pochi anni e per i miei che sono cento
non c'è niente da capire, basta sedersi ed ascoltare*
Lucio Dalla, *Cara*

6.1 Annoiatevi con giudizio

Se volete un consiglio per un'attività sorprendente, eccolo: annoiatevi. Non sempre. Ogni tanto, e deliberatamente. I bambini hanno bisogno di un cortile vuoto e di un pomeriggio da riempire con la fantasia; noi adulti possiamo trarre vantaggio da qualche ora senza impegni. Provare ad annoiarsi è più difficile che tentare di divertirsi. Bisogna saper resistere alla fretta, agli amici, alle occasioni e ai cattivi pensieri, uno su tutti: sto sprecando tempo. Invece chi si annoia oggi si prepara a divertirsi domani.

Il divertimento forzato è la condanna dei carcerati del tempo. Fare il bagno nel mare una notte è meraviglioso; fare il bagno nel mare tutte le notti è banale (umido e stancante). Aspettare l'alba una volta con gli amici, e bere un cappuccino all'apertura dei bar, è memorabile. Fare l'alba tutti i giorni è una manipolazione dei fusi orari: uno vive con l'orologio a Fort Lauderdale anche se è in vacanza a Forte dei Marmi. Il cappuccino lo fanno sia qui sia là.

Le transumanze serali dei condannati al divertimento muovono a compassione. Stessi aperitivi, stesse frasi, stesse sigarette, stessi posti, stessi orari, stesse movenze, stessa aria da comparse pubblicitarie. Solo gli adolescenti hanno la facoltà dell'uniformità. Dai diciott'anni in poi si ha il dovere d'inventarsi almeno il tempo libero, visto che il resto è spesso obbligatorio.

Annoiarsi – di tanto in tanto, senza esagerare – è un modo sano per ripristinare il circolo virtuoso: mi annoio, mi vien voglia di divertirmi, mi diverto, mi stanco, mi riposo, mi annoio. Una bella serata non è un diritto costituzionale, ma il frutto di pazienza, intuizione e combinazione. Non è neppure qualcosa che si compra. I soldi, in questa materia, sono utili, ma non garantiscono il risultato. Se avete dubbi, provate a frequentare i luoghi dei molto ricchi. Chissà cosa darebbero per divertirsi come a vent'anni, con una vespa e qualche amico.

Il divertimento nevrotico sta provocando sconquassi. Per compensare l'eccitazione che scende, si cercano stimoli sempre maggiori: più posti, più strada, più rischi e meno scrupoli. Prima o poi, venuta a noia anche l'orrenda equazione nordeuropea (sono ubriaco = mi diverto), arriva l'amico dell'amico che ha polvere in tasca (e sabbia al posto del cervello). E qualcuno, invece d'insultarlo, si mette in coda.

Certo, questa è la patologia del divertimento. Riguarda, per fortuna, una piccola minoranza (quanto piccola non so). Ma esiste anche il metabolismo accelerato: per quanto fisiologico, presenta alcuni problemi. Pensate alle «notti bianche». Lecce, Saronno, Biella, San Benedetto del Tronto, Ascoli Piceno, Reggio Emilia, Pesaro, Milano, Bergamo, Pontedera, Udine, Gaggiano, Arezzo, Lodi, Fano e Monsummano, Roma, Modena, Scafati (non una prerogativa dei partecipanti, bensì il nome del comune salernitano), Viterbo, Fiorenzuola, Amantea, Macerata, Treviso, Sabbioneta, Grosseto. È più facile indicare le città dove, d'estate, la notte si conserva com'è: scura.

Certo: le «notti bianche» sono una opportunità per assessori, commercianti, adolescenti e adulti insonni; un modo per attirare nottambuli e visitatori. Ma la faccenda inizia ad assumere un aspetto ripetitivo e industriale. Manca la pietanza (economica e civile), ci buttiamo su aperitivi e dessert. Chissà cosa direbbe Fëdor Dostoevskij, autore delle *Notti bianche* (quelle originali di San Pietroburgo, inventate dalla latitudine e non dalla locale azienda di soggiorno). In quale angolo della penisola (o delle isole) arriverà «una di quelle notti che succedono solo se si è giovani»? Chi sarà Nasten'ka, la ragazzina cui confideremo tutto? Non rischia di chiamarsi Ruby, e poi presentarci il conto?

6.2 Mescolate accuratamente

Una medicina, come dicevamo, è la noia. Una noia moderata, calcolata e coltivata, troppo razionale per essere ozio e troppo occasionale per diventar pigrizia. D'estate, aspettare le cinque del pomeriggio nella penombra dietro una persiana, con un libro e un marito, entrambi così così. Curare il giardino, quand'è chiaro che è lui a curare noi. Lavare la macchina pensando al primo sorso di birra. Guardare, dall'alto di un albergo o una collina, l'ingannevole ordine di una spiaggia, il luogo dove l'Italia scende nel mare, che le perdona quanto ha combinato più su.

C'è una noia esistenziale, una mancanza di senso più adatta a filosofi e narratori: non ci riguarda. C'è un'altra noia, più artistica, invocata da Tom Hodgkinson in *L'ozio come stile di vita*, chiamando in soccorso l'intera letteratura inglese (da Robert Louis Stevenson a John Keats che predicava «la deliziosa e diligente indolenza»).[1] Neppure questa fa per noi. La noia che suggeriamo è un rallentamento temporaneo e volontario, un cambio di ritmo utile a riprender fiato, come quello descritto da John Lennon in *Watching the Wheels*.

People say I'm lazy
Dreaming my life away
Well, they give me all kinds of advice
Designed to enlighten me
When I tell them that I'm doing fine
Watching shadows on the wall
Don't you miss the big time, boy?
You're no longer on the ball
I'm just sitting here
Watching the wheels go round and round
I really love to watch them roll
No longer riding on the merry-go-round
I just had to let it go.

Dicono che sono pigro
e butto la vita sognando
mi danno ogni genere di consigli
allo scopo di illuminarmi
quando gli dico che vado bene

guardando le ombre sul muro
non ti manca il successo, ragazzo?
Non sei più sulla palla
io sto qui seduto
e guardo le ruote che girano e girano
mi piace davvero vederle rotolare
basta giri di giostra
ho proprio dovuto mollare.

Talvolta è opportuno fermarsi, e osservare il movimento del mondo intorno a voi. Le occasioni si trovano: basta volere. Pensate ai fine settimana: dopo aver assunto il nome di week-end, sono diventati per molti una corsa contro il tempo, la distanza, la stanchezza, la digestione. Il sociologo Domenico De Masi, che ama il paradosso, sostiene: «Gli esseri umani hanno oziato per millenni; anche uno schiavo in una casa greca o romana faticava molto meno di un tornitore dell'età industriale» (*Ozio creativo*).[2] Ma non c'è dubbio: la società occidentale – sull'esempio della società americana – ha assunto ritmi forsennati.

Il consiglio è: rallentate e mescolate. Fate cose diverse, imparatene di nuove. Siamo esseri curiosi e versatili, e i passatempi non costringono all'eccellenza di cui parlavamo all'inizio del libro. Basta sentire che un'attività ci riempie e ci migliora le giornate. Una persona di molti interessi è, quasi sempre, una persona interessante, che si prepara ad assecondare i passaggi della vita, e ad assorbirne i colpi.

Uno dei motivi per cui il ricambio generazionale italiano risulta tanto difficile è questo: molti di noi, lasciato il lavoro, sono perduti. E sono disposti a tutto per rimandare il momento. Il mestiere – la carica, il grado, quel po' di potere – diventa l'unico ritratto in cui si riconoscono. Se si tratta di una vocazione può durare e riempire l'esistenza; ma spesso non lo è. È soltanto un impiego, cui molti s'attaccano come cozze a uno scoglio.

Non è così che ci si prepara all'età adulta e al cambiamento. È bene, invece, imparare presto a gustare un'attesa, una conversazione, un giornale, un libro, un pasto, uno spettacolo, la varietà dei luoghi, la bellezza in tutte le sue forme. Secondo Friedrich Nietzsche «chi non dispone di due terzi della sua giornata è uno schiavo, qualunque cosa sia per il resto: uomo di Stato, commerciante, impiegato statale, studioso».[3] Ben pochi possono permettersi questo lusso, soprattutto da giovani. Tutti, ad ogni età e in ogni occupazione, possiamo però liberare spazio nelle nostre menti affollate. Avremo una sorpresa. Scopriremo che non tutto ciò che le occupava valeva la pena.

6.3 Semplificate il tempo libero

In un romanzo bello, lungo e sopravvalutato – *Freedom* di Jonathan Franzen – c'è la storia privata occidentale degli ultimi quarant'anni.[4] I compromessi della moderna mezza età, le tentazioni sensuali degli adolescenti, gli inevitabili egoismi delle nuove, lunghe vecchiaie. Il titolo italiano non poteva essere che *Libertà*: una lettura facile su una novità impegnativa. Perché non c'è come poter scegliere, per trovarsi in difficoltà. Dimostrazioni infinite: da Adamo ed Eva ai concorrenti di *Chi vuol essere milionario*.

Oggi è più dura di ieri, bisogna dire. Leggete i grandi romanzi dell'Ottocento e vedrete come i protagonisti fossero capaci di grandi, eroiche scelte esistenziali; ma venissero dispensati dallo stillicidio delle scelte quotidiane. Al capitano Achab non squillava il cellulare mentre inseguiva Moby Dick («Posso richiamare? C'è qui una balena ed è piuttosto nervosa»). Il principe Myskin, i Malavoglia e David Copperfield erano schiavi di sogni, miseria e aspirazioni; non erano distratti da gadget, acquisti e informazioni.

«La percezione di padronanza del proprio tempo è un elemento chiave del benessere umano» scrive Stefano Bartolini (*Manifesto per la felicità*). «Ma se i bambini hanno una visione del tempo come possibilità» prosegue, «per gli adulti il tempo è un limite.»[5] Dobbiamo ringraziare commercio e tecnologia: hanno arricchito le nostre vite, ma le hanno anche complicate. Ci aspettano, ogni estate, i beati giorni del prato e della sdraio. Eppure guardate quanta gente irritabile e ansiosa, incapace di usare le proprie ferie e i propri soldi.

Noi ragazzi di ieri non vedevamo l'ora di partire, con qualsiasi mezzo ci portasse lontano (vespa, gilera, centoventisette, furgone, treno, traghetto, charter). Molti di voi, ragazzi di oggi, hanno ridotto il raggio dei sogni. Settimana in coppia? Certo. Al mare in gruppo, pronti a una vita da lemuri notturni? Come no. Villaggio turistico con piscina? Bene. Una settimana in una città europea, volo Ryanair e albergo con Tripadvisor? Volentieri. Ma il contachilometri che gira, le stazioni di notte, le conoscenze impreviste, le vacanze in una valigia? Parliamone.

Le estati contadine di una volta – l'aia e i fossi, le serate lunghe e le mamme sedute sulle porte – erano ancora più semplici, e hanno confezionato magnifici ricordi, per i vostri nonni e i nostri genitori. Le estati di oggi sembrano moltiplicatori di irritazioni. Confronti invidiosi, timori reciproci, egoismi spacciati per indipendenza, tempo libero competitivo, ricuciture impossibili di famiglie strappate. Sono cose che lasciano l'amaro in bocca, e non basta il mojito per mandar via il sapore.

Un consiglio? Semplificate il tempo libero, e cercate di capire se siete ancora capaci di stupirvi: per uno spettacolo, un incontro, un viaggio, un paesaggio, un'attività insolita. La più grande differenza tra un quarantenne e un ventenne è che ha il doppio degli anni e metà delle emozioni. Se la prima parte di quest'affermazione è inevitabile, la seconda è correggibile. Sostiene Tony Pagoda, improbabile eroe del romanzo di Paolo Sorrentino: «L'umanità, dunque, è miserabile. Non si discute su questo. Eppure, non è stato inventato ancora niente di meglio. Perché, quando si palpita, si palpita».[6] E quando si smette di palpitare, a qualsiasi età, si muore.

6.4 Non trasformate le passioni in ossessioni

La mattina di sabato 25 agosto 2012, circa due settimane dopo la chiusura dell'Olimpiade di Londra, mi sono svegliato sudato, col respiro affannoso. Ricordo bene l'incubo: ai Giochi era stata inserita una nuova disciplina, e stavo nella squadra italiana. Tre persone dovevano abbuffarsi a cronometro, una quarta aveva il compito di portare i piatti pieni e togliere i piatti vuoti. A fine gara, ero così nauseato da non poter partecipare alla cerimonia di premiazione (avevamo vinto la medaglia di bronzo). Avete il diritto di non credermi, ma vi do la mia parola d'onore: il sogno era come l'ho descritto, vivido e inquietante.

La mia interpretazione? Sono circondato da enogastromaniaci, e comincio ad accusare il colpo. Amici, parenti, conoscenti e sconosciuti mi aspettano al varco, servendo pasti di molte portate, e per tutte hanno un commento, e su ognuna s'aspettano un'opinione. Persone che fino a ieri pasteggiavano a vino sfuso, oggi discettano di invecchiamento in botti di rovere, sollevando pensosi il bicchiere. Conosco gente che, a pranzo, già discute di cosa mangerà a cena. Personaggi insospettabili battono le campagne in cerca di un sapore da poter raccontare: al sottoscritto, spesso, che non ne ha fatto richiesta.

L'Italia ha sempre saputo mangiare e bere. Ora lo ha capito, ne discute, si esercita: e questo è bello. L'attenzione per i prodotti – penso a Slow Food – è meritoria. La passione trasversale per l'alimentazione – dall'editoria alla televisione, dalla politica al turismo – offre opportunità e posti di lavoro. Chef improvvisati mettono a ferro e cuoco le cucine altrui per preparare un risotto col pesce che, di leggendario, ha solo il costo della materia prima. Tutto ciò, ripeto, mi piace e mi diverte. Mi piace meno, e mi preoccupa un po', che alcuni trasformino una passione in una ossessione.

È la negazione della serenità che tutti inseguiamo, e della morbidezza invocata in questo passaggio. Inizia in giovane età, e la questione è ben più vasta dell'enogastronomia. Il golf, per esempio, è divertente (mi assicurano). Il ciclismo è salutare. Il podismo, gratificante. Le endorfine generate dallo sforzo sono aiuti naturali all'umore. Ma chi non conosce gli zeloti del muscolo palestrato, i devoti della maratona senile, i competitivi che devono descrivere la loro ultima competizione? Chi non ha mai incontrato il golfista dall'occhio vitreo che, approfittando di ogni pausa nella conversazione, riporta il discorso su ferri e drive?

Alzi la mano chi non ha un amico cinquantenne preso da improvvisa, matta e disperata passione per la bicicletta, pronto a sfidare sciatica, salite, buon senso e moglie per un'impresa da raccontare. «Ho il telaio al titanio!» esclama sentendosi un titano. La nuova mezza età non conosce vie di mezzo. È come se volessimo prendere per la coda la giovinezza che fugge; e per raggiungerla corressimo come non abbiamo mai fatto – neppure da giovani.

Lo sforzo eccessivo e ossessivo – in tutti i campi – ha invece qualcosa di nevrotico. Mi è capitato di osservare alcuni di questi coetanei e di trovarli robotici, mentre narrano o preparano le proprie imprese: come se fossero schiavi, e non signori, della propria passione.

Voi ragazzi non fatelo. Siete troppo giovani per atteggiarvi a giovani.

6.5 Non abbiate fame di fama

Crisi d'astinenza. Niente droga, alcol, sesso, gioco d'azzardo: notorietà. È incredibile cosa faccia la gente per far parlare di sé. È stupefacente quanto tenga a diventare celebre. E cosa sia disposta a fare per tornare a esserlo, quando lo è già stata.

Gli esempi sono molti. Ma ricordo quella foto sul «Corriere della Sera» e quel titolo, nel 2010. *Vado sull'Isola dei famosi per parlare di politica e religione.* Eh no, caro Aldo Busi: lei ci è andato – sono convinto – perché le mancava d'essere citato, riconosciuto, invitato qui e là. Lei ci è andato – temo – perché voleva tornare sul palcoscenico montato nel cortile italiano, e sentirsi di nuovo le luci addosso. È durata poco, oltretutto: valeva la pena?

Bresciano di Montichiari, bravo narratore (*Seminario sulla gioventù*, 1984), buon traduttore, polemista instancabile, innovatore televisivo, musicista originale (*Pazza*, 1990). Cosa spinge una persona come Aldo Busi a infilarsi in un reality? Chi (o cosa) glielo fa fare? I soldi? Lui dice di no, e gli crediamo. La molla – quasi certamente – è la fame di fama.

Non c'è solo Busi, che avrebbe potuto diventare il nuovo Pasolini, e non c'è solo la letteratura. L'ansia da celebrità colpisce dovunque. C'è Vittorio Sgarbi, critico d'arte per formazione e ospite televisivo di mestiere. Che tenerezza, in certi programmi: sembra una tigre costretta a esibirsi in un ipermercato per lanciare un cibo per gatti. C'è Lapo Elkann, la cui idea di privacy è far visita agli amici in periferia con una Ferrari F430 gialla. C'è, per restare nell'ambiente, Michael Schumacher impettito e argenteo nella tutina Mercedes, dopo il solenne addio alla Ferrari e alle corse. Sensazione da Rambo IV: grazie, già dato, già visto, già applaudito.

Badate: non c'è solo lo sport, la televisione, lo spettacolo, la grande fama. C'è anche la piccola fama. Conoscerete, nel corso della vita professionale, le riunioni costellate di vanità, la smania della prima fila, la passione per il microfono, la ricerca dell'applauso aziendale: non come conseguenza di un lavoro ben fatto, ma come valore in sé. L'esibizionismo è una tentazione da cui noi italiani – teatrali per natura – dobbiamo guardarci. Prima ce ne rendiamo conto, meglio è.

Non è facile, da giovani, trovare il giusto equilibrio tra entusiasmo e invadenza. Talvolta si pensa d'essere propositivi, e si diventa assillanti. Altre volte si teme d'essere sfacciati, e si risulta scontrosi. Il carattere, in queste materie, conta più della scuola. Ma è bene osservare senza fretta i meccanismi e le relazioni, entrando in un nuovo ambiente di lavoro; quando li si è compresi, allora, ci si può muovere. Non scegliete solo esempi positivi, tra i colleghi più esperti. Studiate anche qualche caso disastroso, registratene i comportamenti e poi ripetete mentalmente: ecco, così no.

Perché, chi più chi meno, teniamo tutti alla notorietà? Perché quelle lotte sorde per un consiglio direttivo, la presidenza di un'associazione? Da dove viene la furia futurista con cui tanti pubblici amministratori, imprenditori, dirigenti scolastici, funzionari, militari, magistrati e sacerdoti cercano riconoscimenti sui media locali? A tutti loro suggerisco il magnifico libro del Qoelet (o Ecclesiaste); Giacomo Leopardi, il più rock dei nostri poeti; o una visita in una casa di riposo. C'è molto da riflettere sull'infinita vanità di tutto: tanto vale iniziare presto.

6.6 Non rinunciate ad ascoltare

Tra le novità sociali d'inizio secolo, metterei l'incapacità di ascoltare. Meglio: il sostanziale disinteresse per le opinioni altrui. Accettiamo di conoscere il parere degli altri, ma solo se viene espresso in un messaggio, un tweet o su una pagina Facebook. L'ascolto tradizionale viene giudicato una perdita di tempo, anzi un fastidio. Da evitare, appena è possibile.

L'ascoltatore attento viene considerato un timido o un calcolatore; nella migliore ipotesi, una persona senza carattere. La personalità, secondo una riprovevole ma diffusa convinzione, si manifesta con le parole: numero, rapidità e volume. La verbosità viene scambiata per disinvoltura, la logorrea per socialità. Le cene, un tempo occasioni piacevoli e rilassanti, sono diventate verbalmente competitive. Gli amici non parlano più tra loro. Si scambiano microcomunicati, preparati nella testa di ciascuno. I solitari, spesso, sono i più pericolosi: dategli un uditorio, e sfogheranno giorni di silenzio.

La parola, sempre più spesso, diventa la trappola delle idee. Noi sappiamo che una persona ha qualcosa da dire; ma non glielo lasciamo dire. La nostra insofferenza è visibile, e produce conseguenze. Chi parla diventa ansioso, accelera, si confonde, perde efficacia: giustificando così l'impazienza dei presenti. Domina il modello televisivo: tutti parlano, nessuno ascolta, le idee si sovrappongono, le conversazioni si accavallano. «Lo sa quanto male ci facciamo per questo maledetto bisogno di parlare!» sospirava un personaggio di Luigi Pirandello (*Ciascuno a suo modo*).[7] Perfino il silenzio è scomparso: ormai è attesa di prendere la parola.

È un peccato e un errore. Saper ascoltare è infatti umanamente giusto, socialmente opportuno, tatticamente vantaggioso. Il manuale *Le 7 regole per avere successo*, all'inizio degli anni Novanta, ebbe un enorme successo negli Stati Uniti. L'autore, Stephen R. Covey, indicava «le sette abitudini delle persone altamente efficienti». Le regole che, a suo giudizio, assicuravano il successo.

I Sii proattivo

II Inizia con in testa la fine

III Dai la precedenza alle cose più importanti

IV Fai sì che tutti vincano

V Cerca prima di capire, poi di essere capito

VI Cerca la sinergia

VII Affila la lama[8]

«Siamo pieni della nostra rettitudine, della nostra autobiografia. Vogliamo essere capiti» scrive l'autore incoraggiando l'abitudine numero V («Cerca prima di capire, poi di essere capito»). «Le nostre conversazioni diventano monologhi collettivi, e non sappiamo mai davvero cosa sta accadendo dentro un altro essere umano.» Quando una persona parla – prosegue Covey – solitamente noi ascoltiamo a uno di questi quattro livelli:

- ignoriamo l'altra persona (non ascoltiamo per nulla)

- fingiamo di ascoltare l'altra persona («Uh, uh», «Certo, certo»)

- ascoltiamo in maniera selettiva (cogliamo solo alcune parti della conversazione)

- ascoltiamo attentamente, concentrandoci su ogni parola pronunciata

«Quasi mai» conclude l'autore «pratichiamo la forma più efficace di ascolto, l'ascolto empatico. [...] L'ascolto che ha lo scopo di capire ciò che veramente viene detto, e consente di entrare nello schema di riferimento dell'interlocutore. È da qui che bisogna guardar fuori, per vedere il mondo come l'altra persona lo vede, per capire il suo paradigma, per comprendere come si sente.»

Vent'anni dopo, dicevamo, il problema si è aggravato. L'incapacità di ascolto mostra tratti sconcertanti: soprattutto nei maschi, bisogna aggiungere. Qualsiasi riunione, incontro, attività di gruppo ha assunto toni agonistici. Lo si intuisce dallo sguardo dei presenti. Chi ascolta non reagisce a ciò che sente, ma modula le espressioni facciali su ciò che intende dire. Sta facendo riscaldamento per una gara in cui vuole essere protagonista.

Questa sordità sociale presenta molti, ovvi inconvenienti, ma offre anche un'opportunità a chi ha compreso il problema e intende reagire. Praticare un'arte antica come l'ascolto porterà vantaggi inaspettati, sul lavoro e nella vita di relazione. Lo hanno capito alcune donne e molti asiatici. La prova? Le prime arrivano facilmente alla seduzione; i secondi, spesso, ottengono il contratto che vogliono.

6.7 *Non replicatevi (piuttosto, fate figli)*

Un tempo, si capiva dagli armadi. Si apriva un'anta a casa di amici, e si rischiava d'essere travolti da una slavina di dischi, musicassette, videocassette, scatole di diapositive, buste di fotografie, giornali, libri, fumetti, diari scolastici, corsi d'inglese abbandonati come vecchi amanti, dopo una breve infatuazione. Ora l'accumulo è diventato digitale. Meno ingombrante fisicamente, ma forse più rischioso.

Gli americani hanno trovato un nome per questa nuova figura, che si nasconde – neppure tanto bene – dentro tutti noi: *digital hoarder*, accumulatore digitale.

Ammassa e-mail, messaggi di testo, foto, giochi, documenti, brani musicali, video familiari e altri scaricati dal web. Di tutto questo materiale produce copie su copie, in modo da proteggersi da eventuali infortuni informatici. Rivedrà/riascolterà, al massimo, il 20 per cento. Non fa niente: si accontenta di sapere che c'è.

Una rassicurazione che lascia (forse) tranquillo l'interessato, ma deve preoccupare (certamente) tutti noi. Al fenomeno degli accumulatori-replicanti il «Wall Street Journal» ha dedicato un'inchiesta, consultando psichiatri e antropologi.[9] Le conclusioni sono preoccupanti: il fenomeno ossessivo-compulsivo interessa già il 5 per cento della popolazione USA. Spesso s'inizia ad accumulare (scaricare, copiare, duplicare) per riempire un vuoto nella propria vita; ma presto l'abitudine si trasforma in una dipendenza, che lascia sempre più isolati (e in cerca di dischi rigidi più capienti).

Ma gli americani sono americani. Noi non abbiamo un Institute for Challenging Disorganization (Istituto per la Sfida alla Disorganizzazione), né la passione spasmodica per il controllo. Davanti a un imprevisto, ce la prendiamo con la sorte o un parente; non con il calcolo delle probabilità.

Gli accumulatori patologici italiani vanno trattati in altro modo. Anche voi potreste essere entrati involontariamente nel club: non è mai troppo presto. Se volete valutare i sintomi, rispondete a queste domande.

1 Conservate tutte le e-mail spedite e ricevute? Le prime risalgono al governo D'Alema?

2 Il numero dei vostri contatti Skype, sommato a quello degli amici su Facebook e dei follower su Twitter è pari agli abitanti del Molise?

3 Cancellare un file vi provoca disturbi psico-somatici?

4 Impiegate più tempo a cercare un documento che a scriverlo di nuovo?

5 Le vostre fotografie sono distribuite su quattro piattaforme (telefono, tablet, portatile, computer fisso)?

6 Le avete copiate su dozzine di CD, numerati sempre con lo stesso pennarello indelebile?

7 Lo schermo del vostro computer/iPhone/iPad, affollato di microscopiche icone, sembra un cimitero di guerra in cui non sapete trovare la lapide?

8 In ogni tasca, cassetto o borsa tenete almeno una chiavetta USB? E non avete idea di cosa ci sia dentro?

Se tre o più risposte sono affermative, cominciate a preoccuparvi. Per familiari, parenti, amici e colleghi, ovviamente. Perché è chiaro: strambi, in Italia, sono sempre gli altri.

6.8 Collezionate piccole buone abitudini

Le collezioni non m'interessano. Colleziono, però, collezionisti. Non devo nemmeno cercarli. Sono loro che trovano me.

Il collezionista, infatti, è un apostolo, e deve convincere il prossimo del fascino dell'impresa. Personalmente, non nego la mistica del collezionismo; e ne ammiro l'implicito rispetto per il passato prossimo. Del fenomeno ho una visione laica, e questo fa di me una preda ambita. Sono, in parole povere, un uomo da convertire.

Ci hanno provato in molti, devo dire. Architetti bibliofili, bambini numismatici, lettori che raccolgono sabbia, cappelli, acquasantiere, distintivi, stilografiche, orologi, macchine per scrivere, fiammiferi e paesaggi con la neve (basta capovolgere). A tutti ho resistito, ma ora li imito: sto per suggerirvi una collezione.

Nulla di trascendentale. Piccole buone abitudini, a cavallo tra informazione e comunicazione. Comportamenti che vi portano un po' di felicità e, magari, qualche utilità. Qualche esempio (a titolo esplicativo e non esaustivo, reciterebbe un contratto d'assicurazione):

1 TENETE UN TACCUINO (in tasca, in borsa) Scriveteci idee, osservazioni, intuizioni, bozze di progetti. Di alcune vi vergognerete, rileggendole. Ma, tra tante, può esserci quella che vi cambia la vita.

2 USATE MATITA E GOMMA È una forma antica di «Delete», psicologicamente salutare (l'inchiostro non si cancella, e il computer non produce briciole di gomma).

3 RICORDATE GLI IMPEGNI DELLA GIORNATA Consultate l'agenda solo in caso di dubbio. Agenda di carta o elettronica: è irrilevante.

4 IMPARATE A MEMORIA QUALCHE NUMERO
Cercate di ricordare i numeri di cellulare di
famigliari e amici (senza affidarvi solo alla
rubrica), il numero di targa dell'automobile,
il numero del passaporto, il codice fiscale e la
partita IVA. È un allenamento mentale e una
dichiarazione di indipendenza.

5 SCRIVETE SENZA CORRETTORE ORTOGRAFICO È
come nuotare senza salvagente: all'inizio si fa
fatica, ma è l'unico modo di imparare. Pensate: c'è ancora chi non ricorda che «efficiente»
si scrive con la «i» (a proposito: lo sapevate?).

6 CERCATE DI CAPIRE DOVE SIETE Una città
nuova, un luogo diverso, un viaggio: la facili-
tà di accesso alle informazioni geografiche è
inversamente proporzionale alla nostra conoscenza della geografia. Mio padre (1917)
ha passato la vita con un atlante di fianco al
televisore e cinque mappe stradali in automobile: gli piace sapere dov'è.

7 NON CONTROLLATE LA POSTA (Twitter, Facebook) OGNI POCHI MINUTI È una forma di
dipendenza. Questi strumenti condiziona-
no l'umore, portandoci continue informazioni inattese. Comunicazioni, inviti, proposte, proteste: occorre ribattere colpi che
arrivano da ogni parte. Vedrete: farete forse
meno cose, ma avrete la sensazione di farle
meglio. Sarete meno distratti, e la concentrazione risulterà più facile. Avete liberato
RAM cerebrale.

Infine, fondamentale:

> 8 SCARTATE INTERE CATEGORIE Qual è il vantaggio? Risparmierete la fatica di decidere volta per volta; e potrete sempre invocare il precedente. La gente ama le regole: soprattutto quando sono le regole degli altri, e non è costretta a rispettarle.

Ecco alcune attività cui ho rinunciato. Le ho raccolte in questo modello, che tengo pronto per ogni evenienza.

Poniamo che mi venga chiesta una prefazione.

> Gentile ...., grazie della stima. Sono lusingato dell'attenzione che prestate al mio lavoro. Non sapevo d'essere tanto popolare a ....! Devo però deludervi. Le prefazioni sono tra le cose che ho felicemente eliminato dalla mia vita, insieme a giurie, appalti, comitati, collezioni, petizioni, inaugurazioni, direzioni, salotti, manifestazioni, lauree honoris causa, Lions e Rotary, golf, bridge e burraco, scacchi, ballo sudamericano, danze sufi, iscrizione a partiti politici, sette religiose, spiritismo, enigmistica, gioco d'azzardo, bob a quattro, cene con più di sei persone, speleologia, superalcolici, stupefacenti, ostriche, conigli domestici, surf, deltaplano, pesca d'altura, origami e adulterio. È un modo di risparmiare tempo e serenità. Posso sperare nella vostra comprensione? Un cordiale saluto, bsev

Stilate il vostro elenco, e poi preparatevi al copia-e-incolla: negli anni della posta elettronica, lo userete spesso.

7

Terra

Siate aperti

Tienila sempre in mente, Itaca.
La tua meta? Approdarvi.
Ma non far fretta al tuo viaggio.
Meglio che duri molti anni;
e che ormai vecchio alla tua isola attracchi,
ricco di quel che guadagnasti per via,
senza aspettarti da Itaca ricchezze.
Itaca ti ha donato il bel viaggio.
Non saresti partito senza di lei.

Kostantinos Kavafis, *Itaca*

7.1 Rispettate la distanza

Ci sono differenze sostanziali tra la Kolkata Book Fair e la Buchmesse di Francoforte. Se a due ore dall'inaugurazione gli artigiani tedeschi stessero ancora ritagliando i pannelli d'entrata con la sega a mano (due a due, sorridendo), gli organizzatori avrebbero una crisi di nervi. A Calcutta, invece, si prendono le cose con filosofia.

Mi trovo a parlare tra Sandokan (Kabir Bedi) e la primo ministro del Bengala, Mamata Banerjee, un formidabile donnino che è riuscito a sloggiare i comunisti dal Bengala dopo decenni. Penso di sognare, tra odori di spezie, traffico e jetlag, ma non mi dispiace.

Bisogna muoversi, e lasciarsi stupire. Mi trovo in un paese che pensa verticale: le cose in India vanno meglio di ieri e peggio di domani. Noi europei ormai pensiamo orizzontale: meglio o peggio del vicino di casa, del collega, del concittadino, dell'altra regione o dell'altro paese?

Non solo: sempre più spesso, rifiutiamo di lasciarci spiazzare. Se accade, lo sentiamo come una costrizione o ci spaventiamo. Evitiamo l'inatteso. A Calcutta – dove due secoli di presenza britannica sono passati come acqua sui vetri – lo spaesamento non bisogna cercarlo: arriva da solo, con risvolti inattesi. Sono in compagnia di una scrittrice indiana, Tishani Doshi, autrice di una raccolta di poesie, *Everything Begins Elsewhere*. Legge *The Adulterous Citizen*, il cittadino adultero, che si apre con una citazione di Suketu Mehta, autore di *Maximum City*: «Sono un residente adultero; quando sono in una città, sogno l'altra. Sono in esilio: cittadino del paese del desiderio».

Per Tishani è il riassunto di una biografia insolita, raccontata in *Il piacere non può aspettare*. Papà indiano di Chennai (Madras) e mamma gallese, danzatrice e scrittrice, residente e viaggiatrice, una vita e un aspetto segnati da due continenti tra cui non può e non deve scegliere. «Essere nel mezzo è un privilegio» spiega dal palco, orgogliosa d'aver aggiunto l'Italia alla lista delle sue fruttuose complicazioni. E conclude: «Uno scrittore è comunque un outsider». È così. Peccato che molti, qualunque mestiere facciano, vogliano essere l'opposto. Insider in cerca di sicurezza. Sicurezza che in Italia prende molte forme, non tutte salutari.

Si comincia presto, appena fuori dall'adolescenza. Si tende a preferire la sicurezza all'incertezza, la premura all'avventura. Siete una generazione ragionevole; e la ragione, spesso, invita alla prudenza. Ma la prudenza a settant'anni è una virtù (non sempre); a venti o a trenta diventa una zavorra. Ci sono esperienze, lontano da casa, che richiedono energia fisica, pulizia mentale, pochi carichi familiari e una moderata dose d'incoscienza. Sono adatte alla prima parte della vita, poi diventano difficili, anacronistiche o grottesche (dipende).

Forse conoscete una bella canzone di Cat Stevens, *Father and Son*. Racconta di un padre che implora il figlio di non partire.

> *It's not time to make a change,*
> *Just relax, take it easy.*
> *You're still young, that's your fault,*
> *There's so much you have to know.*
> *Find a girl, settle down,*
> *If you want you can marry.*
> *Look at me, I am old, but I'm happy.*

> Non è tempo di cambiamenti,
> stai tranquillo, prenditela comoda.
> Sei ancora giovane, questo è il tuo problema,
> c'è ancora tanto che devi sapere.
> Trovati una ragazza, sistemati,
> se vuoi, puoi sposarti.
> Guarda me, sono vecchio, ma sono felice.

Il figlio risponde che sente di dover andare: il suo tempo è adesso, e non ha intenzione di aspettare ancora.

How can I try to explain, when I do he turns away
  again.
It's always been the same, same old story.
From the moment I could talk I was ordered to listen.
Now there's a way and I know that I have to go away.
I know I have to go.

Come posso tentare di spiegare, quando lo faccio lui
  si gira dall'altra parte.
È sempre stata la solita vecchia storia.
Dal momento in cui ho iniziato a parlare mi hanno
  ordinato di ascoltare.
Ora c'è una strada e so che devo andare via.
Io so che devo andare.

La canzone è del 1970. Quarant'anni dopo, siamo arrivati a uno strano paradosso: siamo noi padri a spingere, e voi figli a frenare. È ragionevole, ripeto: ma non è saggio.

Siamo partiti da Calcutta. Rabindranath Tagore, che era nato qui, ha scritto: «Non ho lasciato in cielo la storia dei miei voli. Ho volato, e questa è la mia gioia». È una frase da stampare sulle valigie.

7.2 Scegliete il modello

A Copenaghen c'è una ragazza di Ostia che insegna danza del ventre.

Ma è necessario fare un passo indietro.

«Fuga dei cervelli» è un termine irritante. Gli italiani nascondono il proprio genio in parti diverse del corpo (vedi sopra), e spesso i cervelli in questione hanno il mal di fegato: una contraddizione insanabile.

Chiamiamola, invece, seconda emigrazione. Comprende l'umanità più varia: studenti Erasmus e uomini d'affari, cuochi e dirigenti d'azienda, medici e mamme, legali e ricercatrici, fidanzati e finanzieri. La prima emigrazione – quella che partiva per necessità – aveva come simbolo la valigia di cartone. La seconda, la vostra, potrebbe scegliere il trolley, con cui caracolla negli aeroporti del mondo.

A questa Generazione Italians ho dedicato un forum online (dal 1998), un appuntamento settimanale sul «Corriere della Sera» (dal 2001), un libro (2008), una rubrica radiofonica (Radio Monte Carlo, 2010/2011) e 104 pizze con i lettori (la prima a Londra nel 1999, l'ultima a Città del Capo nel 2010). Conosco questa diaspora, e ho provato a catalogarla. I nomadi italiani si dividono in otto classiche categorie.

1 MONTECRISTO, il fuggitivo. Scappa da imbarazzanti pratiche italiane: nell'amministrazione, tra aziende, nell'università e nelle professioni. La Corte dei Conti, quantificando il danno in 60 miliardi di euro l'anno: «L'Italia è agli ultimi posti nella lotta alla corruzione». Molti connazionali se n'erano già accorti, e hanno alzato i tacchi.

2 MARCOPOLO, l'avventuroso. Curioso, va per capire, imparare, migliorare, divertirsi. Non smania di tornare, ma non lo esclude. Non suscita preoccupazione, semmai un po' d'invidia.

3 ROBINSON, il naufrago. Scappa in cerca di avventure e trova spesso guai. Alcuni esemplari

si ritrovano nel film *Italians* di Giovanni Veronesi, cui ho solo prestato il nome (i miei lettori non trasportano Ferrari rubate nel deserto arabico, o almeno non me l'avete mai detto).

4 ULISSE, l'innamorato. Le sirene cantano, e gli italiani rispondono. Le coppie miste sono uno dei macrofenomeni inesplorati di questi anni. Di solito, l'italiano è lui. Solo nel mondo angloamericano, tedesco e scandinavo c'è equilibrio. Steve, Stephan e Sven caricano la lavapiatti e cambiano il pupo: alle italiane, giustamente, piace.

5 MADRETERESA, l'altruista. Volontari e cooperatori, missionari e forze di pace. Ne ho trovati a Beirut e a Kabul, a Nairobi e a Manila, al Cairo e in Brasile. Intuitivi ed elastici, s'adattano alle imperfezioni del mondo: successo assicurato. A proposito: bentornata a casa, Rossella Urru.

6 KIPLING, il colonizzatore. S'insedia, s'espande e recluta connazionali, conoscendone le potenzialità (anche per questo tante società, laboratori e uffici nel mondo sono pieni di italiani).

7 ADRIANO, il saggio. Riesce a gustare ogni esperienza, e a trarne un insegnamento. Ostenta una serenità imperiale. È consapevole d'essere parte di un ciclo, anche se s'illude di poter lasciar il segno. Ascoltare le sue memorie è una lezione.

8 ENEA, il predestinato. Accetta qualsiasi prova perché convinto di avere una missione. La sua determinazione è ammirevole, la sua capacità di sopportazione stupefacente, la sua compagnia impegnativa: se si mette a parlare di Didone, è finita.

Cos'hanno in comune questi nomadi? Semplice: hanno patria. L'amarezza che provano davanti a tante vicende nostrane è una prova d'amore. Se dell'Italia non gl'importasse niente, non s'arrabbierebbero tanto.

7.3 Cercate ispirazione

Avete mai notato che «le ragazze di Milano hanno passo di pianura»? Perché è così: hanno passo di pianura, ed è bello da guardare. Nessuno mi aveva detto che il mare, quando compare improvvisamente dietro una curva, è emozionante. «Fin da Pavia si pensa al mare». Un lombardo lo sa, ma non ci pensa.

Sapete tutti che Ivano Fossati non è solo un musicista. È un poeta, abbastanza onesto da saperlo e abbastanza saggio da dimenticarlo. Forse non avete riflettuto su un altro fatto: l'uomo è un paesaggista, capace di consegnarci il senso di un luogo con un'immagine e poche note. Un'ispirazione, per chi sta per prendere una valigia e partire.

Me ne sono accorto la prima volta che ho sentito *Panama*, molti anni fa. «Di andare ai cocktails con la pistola non ne posso più...» non è solo un buon attacco. È lo sfogo di un tipo umano che l'Italia continua a esportare, capace di mescolare incoscienza e avventura, egoismo ed esotismo, pressappochismo e buon cuore. «Piña colada o coca-cola non ne posso più... Della francese che si sente sola non ne posso più.» Alle francesi, oggi, si sono aggiunte spagnole, russe e americane; e la piña colada è stata sostituita da caipirinha e vodka lemon. Per il resto, è cambiato poco. Le città del mondo sono piene di questi italiani che navigano a vista, e ogni tanto sbattono.

Un'emigrazione tutta diversa – e a voi ben nota – è quella di *Last Minute*. Ci vuole talento per scrivere una canzone emozionante sugli Italians, sui viaggiatori per professione, sulle partenze – solo in apparenza facili – di una generazione cui non sappiamo offrire, in Italia, il lavoro per cui s'è preparata. «Alle frontiere che passo non mi sento sicuro, nel cuore dell'Europa le cose non stanno così» è un riassunto della nuova familiarità che ci regalano Schengen, l'euro e i cellulari in roaming. «Bevo con gli sconosciuti ogni sera, io qui in capo al mondo.» Quanti ne ho visti, di connazionali così, negli alberghi dell'Asia o d'America. Quante volte io stesso ho pensato «... mi manchi negli aeroporti illuminati la notte». Poi ho chiuso la borsa, ho spento il telefono e sono andato all'imbarco.

Meno fortunati, dopo un imbarco molto diverso, sono i protagonisti di *Pane e coraggio*, la canzone delle nuove rotte mediterranee. I migranti capiscono in fretta d'essere rimasti vittime di un miraggio («L'Italia sembrava un sogno, steso per lungo ad asciugare»); scoprono che «pane e coraggio ci vogliono ancora»; spiegano alle figlie «gli sguardi che dovranno sopportare». Noi italiani dovremmo saperle bene, queste cose, visto che per un secolo lo stesso destino è toccato a noi (*Italiani d'Argentina*); eppure ce ne dimentichiamo.

Ivano Fossati non è soltanto il fotografo musicale della distanza: sa ritrarre anche paesaggi più vicini. A chi non è capitato, una notte in Italia, di pensare che questo nostro paese merita di meglio? «La fortuna di vivere adesso questo tempo sbandato»: sarà solo musica leggera, ma queste parole vi potranno consolare, su un treno dopo una giornata inutilmente faticosa, nel buio di un'autostrada, dentro un aeroporto in un paese lontano. Per questo le ho scelte come epigrafe di questo libro. Sono un'ispirazione, e di ispirazioni abbiamo tutti bisogno.

Quando vedrete nei telegiornali le solite facce fameliche dovete pensare che no, non potete accettare che la nazione sia questa. L'Italia è un palcoscenico in attesa di una rappresentazione degna. Quando inizierà – dipende anche da voi – sappiamo a chi affidare la colonna sonora.

È il futuro che viene: vedrete, avrà fiato.

7.4 *Provate tutte le porte del corridoio*

Per gli italiani nati negli anni Ottanta dobbiamo trovare un nome e un calmante. Il secondo è forse più urgente. Diventare adulti in queste acque, tra meduse economiche e vecchi squali, non è facile.

Ne trovo dovunque. Pensavo che l'Europa orientale fosse fuori dalle loro rotte – Belgrado è fascinosa però non è Berlino, Sofia è una sorpresa ma Siviglia è meglio – e invece eccoli lì. I toscani Federico e Laura, la friulana Greta e l'abruzzese Antonio, il calabrese Danilo, i lombardi e i veneti, i sardi che non mancano mai: pronti ad annegare le malinconie italiane nell'esotismo balcanico, e non è facile. Ne ho incontrati in ogni angolo del mondo, di ragazzi così, e in tante città italiane. Il rivolo di trasferimenti da sud a nord – alimentato da economie spompate e pratiche vergognose – è diventato un torrente.

È una Generazione Samsonite che vive con la valigia in mano, e con un viaggio in mente. I titoli dei telegiornali li ottengono i coetanei fuori dagli stadi e dalle discoteche. I posti di lavoro se li sono presi i trentenni della Generazione Ikea, nati negli anni Settanta. Poi la crisi e la recessione. I nuovi arrivati – infanzia felice anni Ottanta, adolescenza serena anni Novanta – non se l'aspettavano, questo scherzo.

Lo so: le generazioni sono semplificazioni, e ogni persona ha una storia diversa. Ma un comun denominatore esiste, e gli Ottantini – ecco, li chiamerò così – sono una generazione in corridoio, che si ritrova davanti una fila di porte chiuse.

Precluse le professioni liberali: migliaia di neo-avvocati – lo abbiamo visto – si contendono piccoli incarichi per minuscoli compensi. Blindati i media: pubblicità e diffusione in calo, si esce ma si entra con difficoltà. Sprangate banche e finanza (troppo tardi: i prestigiatori coi capelli grigi sono già scappati). Serrati industria e commercio: clienti e ordini calano. Sbarrata la politica: ormai si accede per il favore dei capi. Chiusa perfino la possibilità di metter su famiglia: provate a chiedere un mutuo in banca, presentando un contratto a progetto.

Il catalogo è questo. Un Ottantino può scegliere: scoraggiarsi o reagire. Suggerisco la seconda soluzione, e spiego subito perché.

7.5 Preoccupatevi, senza esagerare

Preoccuparsi è ragionevole. Disperarsi è sbagliato. Come ha scritto Davide S. al forum «Italians», ricordando l'invettiva di un vecchio insegnante: «Alcune generazioni saltano, la storia ne è piena!». Come abbiamo visto in apertura, saltano per sfiducia, arroganza o mollezza: non per il mondo che trovano intorno. In America la *Greatest Generation* coincide con la nostra generazione inossidabile. Nata dopo la Prima guerra mondiale, ha conosciuto dittature, depressione, guerra e ricostruzione, scandali e delusioni. Non ha mollato mai.

E voi? Il tornado della recessione vi ha accolto fuori dal porto (niente potrà più spaventarvi, direbbe Salgari). Avete tra i piedi un po' di sessantenni rassegnati, di cinquantenni opportunisti, di quarantenni pavidi: c'è di peggio (e ci sono anche gli altri). Forza e coraggio: è l'atteggiamento che cambia l'umore, la vita e la storia. Se scegliete d'essere sconfitti prima d'aver perso, diventerete la *generación amargada*, la generazione avvilita. Suona bene, ma fa male.

Certo è dura, soprattutto in alcune parti d'Italia. Carovane di giovani italiani si spostano dal sud al nord del paese (negli ultimi undici anni 700.000 persone, la metà sotto i 34 anni). Molti altri, altrettanto capaci, saltano un passaggio: dal sud vanno direttamente all'estero. Tanti non partono solo per imparare, migliorare e guadagnare. Partono per dimenticare.

Dimenticare il mercato del lavoro: a Palermo, Caltanissetta, Agrigento, Crotone, Napoli e Avellino il tasso di disoccupazione giovanile viaggia intorno al 40 per cento (a Cuneo, Bolzano, Udine, Parma, Bergamo, Como e Lodi è invece tra il 5 per cento e il 10 per cento).[1] Dimenticare, in qualche caso, i ricatti e le intimidazioni. Dimenticare, soprattutto, il sottobosco dei piccoli soprusi quotidiani. Ho chiesto a Caterina, una ragazza siciliana, di spiegare perché ha lasciato l'isola. Leggete con attenzione. Non è una storia clamorosa, ma è uno spaccato dell'Italia opaca, quella che molti giovani meridionali non sopportano più.

«Vorrei raccontare, alla vigilia della partenza, ciò che ho passato e imparato in Sicilia, dove sono nata e cresciuta. Mi laureo a 24 anni, col massimo dei voti. Borsa di studio all'estero: mi trovo bene, ma decido di tornare e cercare un lavoro. Dopo un po', lo trovo. Solo che non mi pagano subito. Dovrà aspettare circa due anni, mi dicono. Accetto: si tratta di un'istituzione importante, penso al curriculum. Per mantenermi collaboro con un ente culturale privato che ha relazioni con l'estero; non ho un contratto, le collaborazioni sono malpagate e irregolari.»

Prosegue Caterina: «Poi, una buona notizia. Una società di formazione e progettazione mi offre un lavoro, mille euro mensili, 50 ore settimanali. Si tratta di cercare e studiare bandi pubblici e redigere progetti perché vengano finanziati. Una cosa mi preoccupa: il mio contratto non riporta affatto le mie mansioni. Scopro di venire pagata col finanziamento pubblico di un altro progetto, che dichiara più figure professionali di quelle effettive. Di volta in volta risulto consulente per una mostra di fotografie; segretaria organizzativa di un progetto di recupero degli antichi mestieri; tutor in un corso di formazione. Lo stipendio arriva a intervalli imprevedibili. Non so come pagare l'affitto e devo chiedere un prestito ai miei, pur lavorando tutto il giorno, tutti i giorni, anche il sabato. Ne parliamo tra colleghi: sono nauseati, ma temono di rimanere disoccupati».

Conclusione amara: «Mi licenzio, mi dedico nuovamente alla ricerca di un lavoro, vado al nord per colloqui. Non è facile, inoltre pare che io sia in un'età critica: e non ho ancora trent'anni. Continuo a cerca-re, a inviare e-mail, a studiare. Finalmente, una risposta: un'università inglese, ricevuto il mio CV e un progetto di ricerca, mi offre una borsa di dottorato. Sto preparando le valigie e cerco casa. I miei fratelli, entrambi laureati, sono già emigrati. Uno lavora in Scandinavia, l'altro in Svizzera. Sono contenti».

L'Europa come via d'uscita: vale la pena ragionarci.

7.6 Ricordate di essere europei

Siamo un continente strano. L'Europa, per trovare il coraggio, ha bisogno d'avere paura. La nostra è un'unione «fobovoltaica». Trasforma il timore in energia. Quand'è tranquilla, sta ferma e sbuffa.

Ottimista? Che ci volete fare, ho l'età del Trattato di Roma, sono un europeo nato nella seconda metà degli anni Cinquanta: l'ultima generazione di latta, fornita di giocattoli che producevano suoni memorabili (poi è arrivata la plastica), allevata da genitori convinti che il peggio fosse passato. Il loro entusiasmo era contagioso, e noi ci siamo lasciati contagiare.

Il sogno era proporzionale alla tragedia appena conclusa: un'altra guerra in Europa non la voleva nessuno. Mettere insieme, in modo indissolubile, i nemici di ieri: una prova di strabiliante lungimiranza da parte di De Gasperi, Schuman, Adenauer. «Gli uomini eccelsi sono creature delle occasioni. [...] Non appaiono prima che l'ora spunti e il vento li metta alla prova» ha scritto Barbara Spinelli, citando Joseph Conrad.[2] L'Europa veniva dalla tempesta perfetta. Non solo non è andata a fondo ma, ben condotta, ha preso il largo.

Ma si sa, il successo rammollisce. Ci voleva un altro spavento per generare un'altra scossa. E lo spavento è arrivato. Il Mercato unico (1992/93) – *merci*, monsieur Delors – è figlio del buio economico degli anni Settanta (crisi energetica, inflazione, incertezza). Tra il 1979 e il 1980 – ufficialmente per preparare la tesi in diritto internazionale, in effetti per annusare il mondo oltre Crema e Pavia – ero alla Commissione delle Comunità Europee a Bruxelles. L'ho conosciuta da vicino, quell'Europa eccitata che intravedeva il nuovo obiettivo: più scambi, più movimenti, più ricchezza.

Negli anni Novanta qualcuno sognava di concedersi una pausa. Ma è caduto il Muro, è finito il comunismo, e l'Unione europea – spaventata, tanto per cambiare – ha scoperto di avere davanti una terza, grande sfida: allargare il tetto verso est, e riprendersi in casa tanti europei come noi, meno fortunati di noi (quindi grazie, Herr Kohl e professor Prodi). Progetto complicato, costoso, imperfetto, faticoso: non importa. Viaggiate da Danzica a Lisbona, oggi, e capirete che ne valeva la pena.

Siamo al quarto spavento, storia di questi tempi. Stati indebitati, governi bravi a spendere e promettere, mercati dubbiosi e aggressivi, l'America che non aiuta. L'euro era prematuro? Forse: ma c'è, e dobbiamo difenderlo. Dalla paura verrà, una volta ancora, la reazione? Solo se la generazione Erasmus riuscirà a portare, nei posti di comando che s'accinge a occupare, l'entusiasmo con cui ha frequentato, conosciuto, studiato, viaggiato, abitato, assaggiato e amato l'Europa negli ultimi vent'anni. Se sarà disposta a difenderla – come credo – avremo una bella sorpresa.

Vale la pena: perché l'Europa esiste e ci somiglia. La frequento per lavoro da molti anni, e nel 2011 l'ho attraversata in treno, da Mosca a Lisbona. Non abbiamo una politica estera? È vero. Ma la moneta unica, il cellulare che squilla comunque, le lingue mescolate e comprensibili, le stazioni affollate, la polizia con gli stessi sguardi non così severi, i bar e i menu, gli ex ragazzi con amici dovunque, le grandi cattedrali erette da grandi peccatori: tutto ricorda al viaggiatore che l'Europa c'è.

Cracovia non è Barcellona e non è Zurigo, ovvio. Ma è più simile a Barcellona e a Zurigo di quanto somigli a Phoenix o Rio de Janeiro. Qualunque giapponese ve lo confermerà. Vivendo nel bosco – un gran bel bosco – non riusciamo a capirlo. Vediamo solo i tronchi degli alberi, e andiamo pure a sbatterci la testa. Lo hanno capito, invece, gli immigrati. Considerano l'Europa un posto accogliente; e per uno che si rivela ingrato, cento ripagano quanto hanno ricevuto. Trasporti, servizi, industria, lavori pubblici, sanità: se gli immigrati smettessero di lavorare, l'Europa si fermerebbe.

Qualcuno lo spieghi ai razzisti, per favore. Anzi, meglio: li metta su un treno e li convinca ad attraversare un continente che resta il capolavoro dell'umanità. I nuovi arrivati lo intuiscono, i nostri antenati lo sapevano. Voi, nuovi europei, lo dimostrate. Complimenti.

7.7 *Coltivate i vostri angoli italiani*

Sono un provincial-internazionale che a Milano si sente piacevolmente in trasferta. Mi piace il fatto che la città abbia una storia, ma non grondi antichità imperiali, e non metta in soggezione. Mi piacciono le citazioni milanesi di Dalla, Fossati, Fortis e De Gregori. Mi piace Dino Buzzati, perché ha capito di vivere in una città sorprendente.

> *[...] Io domando: perché qui una rosa è più bella*
> *nella nebbia nella infame caligine*
> *che nei parchi della riviera?*
> *Perché il sole nei giorni di vento*
> *qui è più felice che sul ghiacciaio?*[3]

Mi piacciono perfino le discussioni sull'aspetto della Torre Velasca, classificata dal «Daily Telegraph» – non si sa in base a quale autorità – tra i venti edifici più orrendi del pianeta.

Brutta? Ma no. A me la Velasca piace. Non perché sia un'abitudine, o rappresenti una citazione della torre del Filarete al Castello Sforzesco. Mi piace perché è originale; anzi, un po' matta. Mi piace perché è una coetanea (1956). Simboleggia un'Italia ottimista e casinista che non ho visto – peccato, la prospettiva del cantiere da una culla doveva essere mozzafiato.

Nell'ingresso del mio appartamento milanese è appesa una Velasca dipinta da Marco Petrus, perfetta tra i tetti e i cornicioni del settimo piano. Chissà cosa succede dietro quelle finestre illuminate, penso spesso. Chissà che meraviglia la vista dalla Torre, nelle sere di primavera. Giù, sotto, uomini d'affari, studenti e immigrati, turisti e fidanzati. E le ragazze che non sanno passeggiare: camminano.

Milano è il prodotto fascinoso delle sue imperfezioni e la somma aritmetica di angoli d'altre città. Raramente le ha imitate, gli somiglia per caso. Milano è Madrid in piazzale Loreto, è Lisbona nelle strade a scacchiera dietro viale Piave, è Varsavia a Crescenzago e Bucarest in fondo a via Mecenate. È Londra in via Elba e in via Lorenteggio, dov'è identica a Shepherd's Bush. È Beirut in piazza Sant'Ambrogio: solo laggiù (forse) penserebbero di scavare un parcheggio da 350 posti davanti a una basilica del Quarto secolo, e lasciarlo a metà.

Carlo Castellaneta sosteneva che, in via Melchiorre Gioia, Milano era Berlino Est (lo è rimasta, anche se via e città sono cambiate). Secondo Alberto Arbasino il quartiere intorno a San Lorenzo era un (mancato) Marais parigino. Ecco: la Torre Velasca è la nostra citazione newyorchese. A Manhattan amerebbero quel capoccione di cemento e quei tiranti improbabili: così si lega un pacco, non un palazzo di 26 piani.

Suggerisco di usare la Velasca come un test: chi dice che è orrenda, non capisce Milano. Probabilmente crede che il capoluogo lombardo voglia gareggiare con altre città d'Italia in bellezze rinascimentali. Invece è orgoglioso dei suoi angoli strambi, dei suoi portoni, dei suoi cortili irregolari, dei suoi palazzi dove qualche incosciente vorrebbe sostituire il portiere con un citofono.

Scegliete le vostre Velasche, e portatele nel cuore. Sono tatuaggi segreti che vedrete solo voi, e vi daranno sicurezza e compagnia nel mondo.

7.8 *Diffidate della comodità*

Sono nato, cresciuto e residente a Crema, di cui non scrivo (se non bene, come si deve a ogni mamma). Perciò quando vedo/sento raccontare luoghi come Parma – dov'è ambientata la vicenda del film *Il gioiellino* di Andrea Molaioli – capisco al volo se regista, sceneggiatori e attori sono stati bravi.

In questo caso, congratulazioni. Non importa che Parmalat sia diventata Leda, il film sia stato girato ad Acqui Terme (mai nominata), Tanzi venga chiamato Rastelli e il ragionier Tonna sia rinominato Botta. Protagonista è la provincia, dove le idee crescono, le personalità nascono e i controllori, ogni domenica, salutano in piazza i controllati, con il vassoio dei pasticcini in mano.

L'empatia italiana – nostro capolavoro e nostra dannazione – in provincia produce meraviglie e disastri. Conoscere e conoscersi genera ottima letteratura, grande cinema, adultéri seriali, occasionale solidarietà, fatturati notevoli e aziende ammirevoli, perché il fondatore ci ha messo la vita. E talvolta vorrebbe riprendersela, incapace di immaginare un futuro dopo di sé.

La provincia – ve lo dice un provinciale – è bella e consolante. Finché le cose vanno bene, offre stimoli e gratificazioni, onori e giustificazioni. Le serate in una piccola città, da aprile a ottobre, spiegano la tenuta della nazione. Le giornate s'allungano, i tramonti profumano e i nervi si distendono. Avessimo un clima scozzese, in Italia, avremmo già avuto quattro rivoluzioni e molti esaurimenti nervosi.

La provincia è un luogo dove si confezionano miti. Vedere meno, talvolta, significa sentire di più. Bruce Springsteen, lo abbiamo raccontato, ha trasfigurato il New Jersey, a lungo considerato il retrobottega di New York City; lo stesso ha saputo fare Philip Roth (*Pastorale americana*). È l'occhio che crea il panorama. L'Italia minore produce poesia, e fornisce a molti il bagaglio emotivo per il viaggio. Lo conferma Cesare Pavese in *I mari del Sud*, scritta a 23 anni poi scelta come apertura di *Lavorare stanca*.

Mio cugino ha parlato stasera. Mi ha chiesto
se salivo con lui; dalla vetta si scorge
nelle notti serene il riflesso del faro
lontano, di Torino. «Tu che abiti a Torino...»
mi ha detto «... ma hai ragione. La vita va vissuta
lontano dal paese; si profitta e si gode
e poi, quando si torna, come me a quarant'anni,
si trova tutto nuovo. Le Langhe non si perdono».[4]

Le Langhe non si perdono. E così – se non vorrete – non andrà perduta la vostra Italia privata. In provincia ci si ricorda, ci si conosce, ci si soccorre e ci si sorride. Gli eccentrici hanno uno spazio, i meritevoli un podio, gli egocentrici un palcoscenico: spesso sono le stesse persone. Funzionari pubblici, imprenditori, commercianti, professionisti, agricoltori: c'è chi, dalla provincia, prende il meglio e rifiuta le tentazioni. Purtroppo, c'è qualcuno convinto che il mondo finisca al cartello di limite urbano.

Ecco perché *Il gioiellino* è un buon film, e Parma è un buon esempio. Il ragionier Botta (Toni Servillo) è uno splendido concentrato di abitudini e tentazioni, travestite ora da falso in bilancio artigianale ora da giovane donna in trasferta (Sarah Felberbaum). La provincia italiana è questa combinazione di sensualità e normalità, grinta e mollezza, furbizia e ingenuità, originalità e incoscienza, grandi progetti e – talvolta – piccoli orizzonti.

Tenetela da conto, se ci siete nati e cresciuti. Scappate per tornare. Però, prima, scappate.

8

Testa

Siate ottimisti

O Italiani, io vi esorto alle storie,
perché niun popolo più di voi
può mostrare né più calamità
da compiangere, né più errori da evitare,
né più virtù che vi facciano rispettare.
Ugo Foscolo, Orazione all'Università di Pavia, 1809

Viva la vida
Coldplay, 2008

Se qualcuno volesse cambiare il modo di vivere degli italiani, dovremmo aggiornare la massima di Giulio Andreotti: i pazzi non sono soltanto quelli che credono di essere Napoleone o riformare le ferrovie dello Stato. Ma bisogna abbandonare ogni cautela e dircelo, alla fine di un libro come questo. Qualsiasi riforma sarà effimera se non entra gradualmente nella cultura della gente. L'Italia non cambierà, se non cambiamo noi.

Lo ha detto perfino Mario Monti, che pure non ha la vocazione dell'antropologo. Non credo che intendesse bocciare gli italiani. Ma neppure può assolverci e applaudirci qualsiasi cosa facciamo. È questa la tentazione di ogni leader in ogni tempo e in ogni paese:

si chiama populismo, e porta prima illusioni, poi amare sorprese. Un leader non ha facoltà di condurre; ne ha il dovere. Se seguisse tutti gli istinti dei suoi elettori, in cambio di popolarità e voti, farebbe il loro male. Non è così che si aiutano le nazioni a crescere (neppure i figli).

Noi italiani non dobbiamo diventare qualcos'altro. Possiamo tenerci le nostre virtù, frutto di secoli di storia, e lavorare sulle nostre debolezze, figlie di recenti sciatterie. Le prime sono inimitabili, e ci vengono invidiate nel mondo. Le seconde sono correggibili, e quasi sempre frutto di furbizie, ingordigia, pressappochismi e disonestà, denunciate sempre con squilli di retorica, ma sostanzialmente impunite. Le sanzioni italiane infatti sono sempre spaventose, lentissime e improbabili; quando dovrebbero essere moderate, rapide e certe.

Anni di viaggi e di mestiere mi hanno portato a incontrare italiani in tutti gli angoli del mondo: credo di sapere cosa ci ha danneggiati e cosa ci ha aiutati. Ci hanno danneggiato l'intelligenza (asfissiante), l'inaffidabilità, l'individualismo, l'ideologia e l'inciucio. Ci hanno aiutato la gentilezza, la generosità, la grinta, il gusto e il genio. Soprattutto il genio di trasformare una crisi in una festa – ed è quello che potremmo fare anche stavolta, se saremo determinati e fortunati.

A costo di sembrare retorico, riporto una frase di Luigi Barzini Jr, accusato talvolta di denigrare l'Italia (che invece capiva bene e amava molto): «Essere onesti con se stessi è la miglior forma di amor di patria».[1] Un concetto che molti patrioti da strapazzo – in ogni paese – non capiscono. Difendono orgogliosamente l'indifendibile, irritando chi sarebbe disposto a comprendere. Il motto di costoro è «I panni sporchi si lavano in famiglia!» – dimenticando che chi sceglie questa soluzione i panni nazionali non li lava mai, e va in giro con i vestiti che mandano cattivo odore.

Noi italiani non abbiamo alcun bisogno di rifugiarci in queste tattiche difensive: siamo un grande popolo con alcune debolezze. Quasi sempre, purtroppo, spettacolari. Qualche esempio? Altre culture hanno prodotto malavita organizzata – spesso frutto di un'idea degenerata di famiglia – ma soltanto la mafia ha creato tanta letteratura, tanto cinema e tanta televisione. Molte belle città hanno attraversato momenti difficili: ma Napoli è riuscita a trasformare l'ordinaria amministrazione (la raccolta e lo smaltimento dell'immondizia) in un disastro, fornendo sfondi gloriosi a polemiche imbarazzanti. Alcuni paesi importanti hanno eletto leader teatrali: ma nessuno ha eletto (tre volte!) un personaggio come Berlusconi, vero detonatore di stereotipi.

In una recente pubblicazione del Reuters Institute for the Study of Journalism (Oxford University), l'autore – Paolo Mancini, docente a Perugia – titola così il capitolo conclusivo: *Are the Italians Bad Guys?*, gli italiani sono grami?[2] La sua risposta, e la nostra, è negativa. È vero tuttavia che – dopo l'illusione di Mani Pulite, trasformata da catarsi in rissa – l'autoindulgenza è diventata la norma italiana. «La gente è buona, lo Stato è cattivo!» Come se non fossimo noi – la gente – a impersonare, rappresentare, ingannare e mungere lo Stato nelle sue varie forme. Qualcuno lo spieghi a Beppe Grillo.

Ma l'Italia non è come gli orologi, che avanzano regolarmente. È come i bambini: cresce a balzi irregolari, di solito quando uno non se l'aspetta. Abbiamo visto l'abisso finanziario e la possibilità della fine di una convivenza basata sul lavoro, il risparmio e i reciproci aiuti familiari (quelli leciti e lodevoli). Nella nostra vita pubblica c'è un aspetto operistico che gli osservatori stranieri – bramosi di metafore colorate e comprensibili – non mancano mai di notare: gli italiani applaudono il tenore fino al momento in cui lo cacciano dal palco a suon di fischi, pronti ad accoglierne un altro. Lo stesso abbiamo fatto con chi ci governa: la musica non cambia.

Credo che abbiamo improvvisamente capito alcune cose – tutti, anche chi si rifiuta di ammetterlo per questioni ideologiche. Non possiamo pretendere servizi sociali nordeuropei mantenendo comportamenti fiscali nordafricani. Non possiamo permetterci buone scuole, buoni ospedali e buone strade se le risorse finiscono nell'economia malavitosa (140 miliardi), nell'evasione fiscale (120 miliardi), in corruzione, rendite ingiustificate e sprechi. Non possiamo andare in pensione quando siamo ancora attivi, per essere mantenuti da giovani che manteniamo inattivi (chiudendo loro il mercato del lavoro).

Non siamo previdenti come la formica della favola; ma siamo troppo smaliziati per non intuire il destino della cicala. È un inverno allegorico, quello che stiamo attraversando: duro e freddo, così poco adatto a una nazione considerata solare, nelle semplificazioni del mondo.

La sensazione – la speranza – è che noi italiani ci siamo convinti di una cosa: la gentilezza, la generosità, la grinta, il gusto e il genio possono portarci lontano; l'intelligenza (asfissiante), l'inaffidabilità, l'individualismo, l'ideologia e l'inciucio ci stavano conducendo nel baratro. La nostra è una saggezza preterintenzionale, ma ci ha salvato diverse volte nel corso della storia. È il senso del limite: inconfessabile, per gente che ama presentarsi come spontanea, emotiva e sregolata (ascoltate/guardate le pubblicità delle automobili: il commercio conosce chi vuol sedurre).

Presto capiremo se qualcuno saprà interpretare queste novità, e offrire un prodotto elettorale all'altezza delle nuove aspirazioni. Per ora possiamo assistere al distacco del prodotto vecchio, che si allontana nel cosmo politico a velocità vertiginosa: oggi Santanché fa pensare al nome di un satellite di Saturno (come il piccolo Febe, conosciuto soprattutto per il suo moto di rivoluzione retrogrado).

Di sicuro c'è chi, nel mondo, è disposto a darci credito. Ancora esami? Certo: non finiscono mai, per tutti i paesi. Le reputazioni nazionali esistono: negarlo può essere consolante, ma è inutile. Sono fatte di tante cose: di storia e di economia, di eroismi e di serietà, di salite e di ricadute, di conquiste e di disastri, di comparse e di protagonisti. La sensazione è che Mario Monti sia servito, a tanti nostri amici nel mondo, per poter dire a quelli cui stiamo meno simpatici: «Visto? L'Italia è anche questa».

Ed è un'Italia che in tutti i continenti hanno imparato a conoscere e ad apprezzare. Non è perfetta, ma fa molto di ciò che dice, e dice più o meno quello che fa. Negli uffici e negli ospedali, nelle aziende e nelle università, nei ristoranti e negli alberghi, nel volontariato e nelle nostre rappresentanze all'estero c'è tanta gente che non meritava di diventare lo zimbello del mondo. Il misero uccelletto al quale i cacciatori tirano con la funicella la gamba, per farlo saltare non è diventato di colpo un'aquila; diciamo che si è slegato, è scomparso e non lo rimpiangeremo.

Non è mai esistito un complotto contro l'Italia e la

sua reputazione: esiste invece un'informazione vorticosa, che cerca notizie succose, le mastica e le risputa. L'opinione pubblica internazionale è vorace e frettolosa. Cerca occasioni e tende alla semplificazione. Ieri trovava pretesti per deriderci (esageratamente), oggi scopre ragioni per applaudirci (prematuramente?). La narrazione dei media cerca trame, svolte e volti. In pochi mesi l'Italia ne ha forniti in abbondanza. La maschera di Silvio e il sudario di Mario; una società gaudente disposta ad accettare la penitenza; il paese più divertente d'Europa che diventa decisivo, anche per l'America e il suo banchiere cinese.

Statene certi, tuttavia: anche queste novità, presto, sbiadiranno. Sarà allora che dovremo provare d'essere seri, e dimostrare d'aver scelto, tra le nostre diverse anime, quella sana e realista. Noi italiani possediamo qualità permanenti e difetti rimediabili. Quando decidiamo di essere seri e affidabili, non ci batte nessuno, e tutti ci ammirano. Perché gentilezza, generosità, grinta, gusto e genio – salvo eccezioni, e purtroppo non sono poche – ci vengono spontanei. Sono le qualità che mancano ai nostri critici. E questo, state certi, non ce lo perdoneranno mai.

~

When the going gets tough, the Italians get going. Quando il gioco si fa duro, gli italiani cominciano a giocare. A una condizione. Anzi, a otto condizioni. È il riassunto di questo libro e una modesta proposta per un'Italia nuova: una delle sessanta milioni possibili.

1 NON ASPETTARE Abbiamo vissuto a credito per trent'anni: la festa è finita. Se l'Italia vuole permettersi assistenza sanitaria gratui-

ta, istruzione pubblica e una robusta previdenza sociale – cose di cui, girando il mondo, tanti di noi vanno fieri – deve pagarsele. E, per pagarsele, deve rimettersi in moto. Non badate alle grida di quanti negano questa semplice verità. Sono gli eccessi dei repressi e i latrati dei frustrati: evitare. C'è una misura in tutte le cose. Lo ha scritto il signor Orazio, nato dalle parti di Potenza.

2 NON TEMERE Cesare Prandelli di Orzinuovi (Brescia) non ha piagnucolato, quando gli hanno riportato dal Sudafrica una nazionale liquefatta. Non ha avuto paura del nuovo, non s'è rifugiato in nostalgie autarchiche: ed è arrivato in finale agli Europei, giocando bene. Nella prima intervista da commissario tecnico ha parlato dei «nuovi italiani» e di quanto avrebbero potuto dare; e ha chiamato Balotelli, Thiago Motta, Ogbonna, El Shaarawi, Osvaldo. La lezione, come spesso capita alle cose del calcio, è interessante perché va oltre il calcio. L'Italia è un paese naturalmente conservatore, ma non tutto in Italia è da conservare. La nostra testa è una soffitta troppo piena. Dobbiamo imparare a distinguere ciò che è da tenere (molto) e ciò che è da buttare (non poco).

3 NON PIAGNUCOLARE C'è una partita europea ben più lunga, come sappiamo, da cui non dipende solo il destino di una moneta, ma quello di una costruzione comune e del nostro benessere collettivo. Un'uscita disordina-

ta dall'euro porterebbe una recessione dram-
matica, ben peggiore di quella seguita alla
crisi finanziaria del 2008. La richiesta della
Germania – rigidità ed egoismi a parte – è
ragionevole: la disciplina di bilancio è necessaria affinché l'euro abbia un futuro. I tagli,
in Italia, sono stati fatti. Ora bisogna crescere – l'hanno capito anche a Berlino – e per
crescere dobbiamo produrre, e per produrre
dobbiamo lavorare meglio, e per lavorare
meglio dobbiamo slegare l'Italia dai suoi
lacci. Questo nessuno ha ancora avuto il coraggio di farlo, perché quei lacci sono colle-
gati a rendite, posizioni, tradizioni, diritti
acquisiti (un'espressione da vietare).

4 NON TACERE I successi italiani vanno al di là
del calcio e della diplomazia (due campi
dove veniamo regolarmente sottovalutati).
Basti dire che abbiamo insegnato al mondo
a mangiare; e se non ha del tutto imparato,
non è colpa nostra. Eppure siamo perse-
guitati da stereotipi negativi, come poche
altre nazioni al mondo. Negli USA è evidente: dai *Soprano* a *Jersey Shore*, l'italiani-
tà viene spesso rappresentata come crimi-
nalità, maschilismo, edonismo sfrenato.
Gli italo-americani, giustamente, si lamentano. Nessun'altra comunità viene trattata
così, né lo sopporterebbe (non gli ispanici
e non gli afro-americani, non gli ebrei e
non gli asiatici). L'orgoglio nazionale è necessario, quindi. Questo non vuole dire difendere l'indifendibile.

5 NON NASCONDERSI Ci sono i patrioti e ci sono i *patridioti*: quelli per cui l'Italia è perfetta così com'è (con la politica ingorda, la metastasi malavitosa, la connivenza come religione, la religione come *business*). E invece – lo sappiamo – il nostro paese si può migliorare, come ogni cosa umana. L'entusiasmo è un buon combustibile, e può accendere il fuoco del cambiamento. Ma il fuoco – lo sapevano i vecchi, lo sanno i campeggiatori e i boy-scout – va mantenuto, alimentato, ravvivato. La scommessa italiana è trasformare i bei gesti in buoni comportamenti. Se la vinciamo, non ci batte nessuno.

6 NON ILLUDERSI I nostri successi, talvolta, infastidiscono. C'è infatti chi, fuori d'Italia, aspetta solo le nostre cadute per gridare che non sappiamo correre. C'è chi, in Italia, non prova neppure a camminare: sta seduto e bofonchia. Pensiamo alle autorizzazioni, ai certificati, alla lentezza giudiziaria, allo stillicidio normativo e tributario: una piaga nazionale, come sa chi vuole aprire un'impresa, rifare una casa, assumere un dipendente. Noi cittadini chiediamo, giustamente, procedure snelle: ma dovremmo avere l'onestà di non approfittarne. E invece, appena l'autorità apre uno spiraglio, noi ci passiamo col carro armato.

7 NON AGITARSI Sono anni di transizione, nelle società occidentali. Abbiamo problemi particolari, ma non abbiamo l'esclusiva dei pro-

blemi. Gli Stati Uniti sono sempre più divisi per classi; il sociologo Robert Putnam teme un imminente collasso della mobilità sociale (*social mobility crash*).[3] In Italia abbiamo capito – si spera – che un paese dove si evade tanto, si ruba troppo, si produce poco, si lavora male, si complica tutto e non si cresce per nulla, non ha futuro.

8 NON FERMARSI Chiudiamo come abbiamo iniziato.

Don't stop thinking about tomorrow
Don't stop it'll soon be here
It'll be better than before
Yesterday's gone, yesterday's gone.

Non smettete di pensare a domani
non smettete, presto sarà qui
sarà qui, sarà meglio di prima
ieri se n'è andato, ieri se n'è andato.

Don't stop thinking about tomorrow, non smettete di pensare a domani. Qualunque cosa accada, il mondo va avanti. L'Italia è parte del mondo. E voi siete gli italiani di domani. Italiani importanti, profumati, inconfondibili: per questo avete tanti occhi addosso. Cercate di smentire chi vi sottovaluta e di non deludere chi vi stima. *Don't stop thinking about tomorrow*. Nessun piano di studi lo prevede, nessun ufficio del personale ve lo proporrà mai. Ma è un bel progetto.

Chiusura

Doverosa spiegazione

È una splendida giornata, meteorologicamente e accademicamente. Chissà, forse è un segno. Forse qualcuno vuol farvi capire che avete il dovere personale, morale e civile dell'ottimismo. L'Italia non sta attraversando il momento migliore, è vero. Ma gli esseri umani tutti – gli esseri italiani in particolare – sono fatti per la reazione, non per la rassegnazione.

Voi non avete il diritto di sognare. Voi avete il dovere. Alcune persone della mia generazione, presenti in questa piazza, stanno pensando: «Ma così li illude e ne fa dei frustrati!». Risposta all'ipotetica obiezione: meglio frustrati domani che depressi oggi.

Ricordate, ragazzi: ogni impresa umana nasce da un progetto. E l'Italia è ancora in grado di confezionarne. Quando vi diranno «Questa cosa non si può fare», ribattete: «Lasciateci provare». Quando lasceranno intendere che si può fare facilmente, rispondete: «Facilmente? Sappiamo prenderci cura dei nostri avverbi, signori».

Università Ca' Foscari
Giornata della Laurea, 1° luglio 2011
Piazza San Marco, Venezia

Succede che un'idea, un incontro o un articolo diventino, presto o tardi, un libro. Ci si accorge che i lettori, o gli interlocutori, rispondono con entusiasmo a uno stimolo. È un segnale, e non va ignorato.

Italiani di domani, ve ne sarete accorti, non è un libro riservato agli universitari; ma nasce da alcuni interventi nelle università. Il discorso ai laureati – quello che in America chiamano *commencement speech* e in Italia, con la solita inutile enfasi, definiamo *lectio magistralis* – è un'ottima occasione per capire cosa interessa a chi ha meno anni di noi. Certo, dall'alto di un podio è facile cadere in alcune trappole: la prosopopea, l'enfasi retorica, il resoconto egocentrico che scalda il cuore dell'oratore, ma lascia indifferenti gli ascoltatori (o li infastidisce).

È possibile, tuttavia, sfruttare l'opportunità. I giovani laureati sono italiani speciali, emozionati e disponibili. Interessati ad ascoltare, in un passaggio importante della vita, un amichevole viatico (ecco, questo vocabolo non è male). Non è vero che rifiutano un consiglio. A patto che sia un consiglio e non un ordine, una fanfaronata o un inganno.

Sono certo di non aver impartito ordini, e spero di non aver ingannato i ragazzi di Pavia, Venezia (Ca' Foscari), Piacenza (Università Cattolica), Milano (Politecnico), Brescia. Mi auguro di non aver deluso i miei studenti del master di giornalismo «Walter Tobagi» (Università Statale di Milano, 2009-2012), né i ragazzi che sono venuti ad ascoltarmi negli USA o in Gran Bretagna, in occasione dell'uscita del libro precedente (MIT, Brown, NYU, Georgetown, Rutgers, Oxford). E spero di non aver annoiato (troppo) mio figlio Antonio e i miei 20+ nipoti, i figli di amici e conoscenti. Non tutti universitari, perché la vita – per fortuna – non è una questione accademica.

Ecco perché mi illudo che *Italiani di domani* possa servire anche ad altri: il futuro è di tutti (anche se c'è sempre qualcuno, in Italia, che pensa di farne una proprietà privata). L'ho scritto all'inizio, lo ripeto: se vogliamo riprogrammare noi stessi e il nostro paese – brutto verbo, bel proposito – dobbiamo continuare a provarci, anche quand'è finito il tempo epico della gioventù. I miei otto suggerimenti, nati dentro le università, vogliono essere utili alle famiglie e alle persone di ogni età, nel lavoro e nella vita privata. Mostrarsi aperti e ottimisti non è passato di moda; e in una società malata di astuzia, provare a essere onesti con se stessi, leali e coraggiosi potrebbe rivelarsi l'astuzia più grande.

Ho provato a suggerire qualche passaggio, ricordando che l'esperienza è un aperitivo rinforzato: si può rifiutare, temendo di perdere l'appetito. Ho capito – dalla passione e dall'attenzione che ho trovato – che i nostri giovani connazionali sono curiosi e chiedono un confronto d'opinioni; salvo fare, com'è giusto, ciò che vogliono. Ho intuito di avere alcuni interessi (Mac e Twitter, calcio e viaggi, rock e motociclette) che mi avvicinano a chi ha metà dei miei anni. Sia chiaro: loro sono giovani e io non più, i due piani non vanno confusi. Ma non posso negarlo: ho l'impressione che esista un canale di comunicazione. Si chiuderà, temo. Ma per ora è aperto.

Il complimento più bello della carriera mi è arrivato proprio al termine di un ciclo di lezioni universitarie, tempo fa. A Parma, ricordo. Si è alzata una ragazza – avrà avuto 22 anni – e ha detto: «Sa perché veniamo in tanti alle sue lezioni? Non perché abbiamo letto i suoi libri o la vediamo in televisione. Veniamo perché lei è il più vecchio di noi, e non il più giovane di loro».

So chi siete voi, e temo di sapere chi sono loro, le ho risposto. E poi, accidenti, ho dovuto sedermi, perché ero quasi commosso.

Chi mi muove la mano ogni volta
che scrivo e nasconde la testa?
Renzo Zenobi, *Gioco*

Note

Tutte le «T» del tempo che viene

1. Eraclito, *I frammenti e le testimonianze*, Mondadori, 1980.
2. Valerio Magrelli, *La vicevita. Treni e viaggi in treno*, Laterza, 2009.
3. Michael J. Gelb, *Pensare come Leonardo. I sette princìpi del genio*, Net, 2005 (*How to Think Like Leonardo da Vinci: Seven Steps to Genius Every Day*, Bantam Dell, 2000).
4. Cesare Pavese, *La luna e i falò*, Einaudi, 1972.
5. David Brooks, *The Power of the Particular*, «The New York Times», 25 giugno 2012.
6. Goffredo Parise, *Sillabari*, Adelphi, 2009.

1. Talento

1. Daniel Goleman, *Intelligenza sociale*, Rizzoli, 2006 (*Emotional Intelligence*, Bantam Books, 1995).
2. Thomas Friedman, *Average is Over*, «The New York Times», 24 gennaio 2012.
3. Fonte: Bureau of Labor Statistics, marzo 2012 (dati relativi al periodo 2011-2012), U.S. Department of Labor.
4. Joseph Conrad, *Tifone-Gioventù*, Mondadori, 1998. (Youth, Book Jungle, 2007). Traduzione dell'autore.

5. Fonti: AlmaLaurea, marzo 2012; Indagine retributiva Towers Watson 2011.

6. Intervento al Forex, Verona, 26 febbraio 2011.

7. Raffaello Masci, *Laurearsi serve sempre (e si guadagna di più)*, «La Stampa», 9 marzo 2011.

8. «Dobbiamo dire ai nostri giovani che se non sei ancora laureato a 28 anni sei uno sfigato», Michel Martone, viceministro del Welfare, Roma, 24 gennaio 2012.

9. Dante Alighieri, *Divina Commedia*, Canto XXXIII, *Inferno*.

10. Fonte: Istat 2011.

11. Luigi Campiglio, *Prima le donne e i bambini,* Il Mulino, 2005.

12. Martin Wolf, *Through the Demographic Window of Opportunity*, «Financial Times», 28 settembre 2004.

13. Fonti: Commissione europea, marzo 2012; Manager-Italia 2011.

14. Barbara Stefanelli, *L'ultima crociata contro le quote rosa*, «Corriere della Sera», 6 settembre 2012.

15. Fonte: Istat 2011.

16. Ilaria Capua, *I virus non aspettano. Avventure, disavventure e riflessioni di una ricercatrice globetrotter*, Marsilio, 2012.

17. Fonti: Istat 2012; Ricerca McKinsey «Women Matter 2011».

18. Luigi Zingales, *Manifesto capitalista*, Rizzoli, 2012.

19. Fonte: Istat 2008-2010.

20. Anne-Marie Slaughter, *Why Women Still Can't Have It All*, «The Atlantic», luglio-agosto 2012.

2. Tenacia

1. Robert I. Sutton, *Testa di capo. Come essere i migliori imparando dai peggiori*, Rizzoli, 2010 (*Good Boss, Bad Boss: How to Be the Best... and Learn from the Worst*, Business Plus, 2010-2012).

2. Irene Tinagli, *Talento da svendere. Perché in Italia il talento non riesce a prendere il volo*, Einaudi, 2008.

3. Fonte: Ordine degli Avvocati di Milano, settembre 2010.

4. Fonte: Relazione sullo stato della Giustizia, 2011.

5. David Wessel e Stephanie Banchero, *Education Slowdown Threatens U.S.*, «The Wall Street Journal», 26 aprile 2012; Claudia Goldin e Lawrence Katz, *The Race between Education and Technology*, Belknap Press of Harvard University Press, 2010.

6. Fonti: ConfimpreseItalia 2010; Ocse 2008; «The Observer», 2 settembre 2012.

7. Tg2, *Punto di Vista*, 13 marzo 2008.

8. Fonti: Confartigianato 2012; Istat 2010.

9. Gregg Easterbrook, *The Progress Paradox*, Random House, 2003.

10. Mario Calabresi, *Cosa tiene accese le stelle. Storie di italiani che non hanno mai smesso di credere nel futuro*, Mondadori, 2011.

11. Eric J. Hobsbawm, *Il secolo breve 1914-1991*, Biblioteca Universale Rizzoli, 2000 (*The Age of Extremes: The Short Twentieth Century, 1914-1991*, Michael Joseph-Vintage Books, 1994).

12. Emma Clark, *Long Hours, Low Pay and a Nightmare Boss: How We Spend 106 Days of Our Life Moaning About Work*, «Daily Mail», 31 luglio 2012.

13. Anthony Bourdain, *Kitchen confidential. Avventure gastronomiche a New York*, Feltrinelli, 2005 (*Kitchen Confidential: Adventures in the Culinary Underbelly*, Bloomsbury, 2000).

3. Tempismo

1. Beppe Severgnini, *Un italiano in America*, Rizzoli, 1995.

2. Marcello Fois, *Nel tempo di mezzo*, Einaudi, 2012.

3. *Hindsights* (letteralmente, «coi senni di poi»), discorso augurale ai diplomati, 11 giugno 1995.

4. Daniel Kahneman, *Pensieri lenti e veloci*, Mondadori, 2012 (*Thinking, Fast and Slow*, Farrar, Straus and Giroux, 2011).

5. Claudio Magris, *L'inglese non cancelli la nostra identità*, «Corriere della Sera», 25 luglio 2012.

6. Giuseppe Cambiano, *Platone e le tecniche*, Laterza, 1991.

7. Primo Levi, *La chiave a stella*, Einaudi, 1979-2006.

4. Tolleranza

1. Letteralmente: «Pensa fuori dalla scatola».

2. Giorgio Manganelli, *Letteratura come menzogna*, Adelphi, 1967-2004.

3. Graziella Pulce, *Giorgio Manganelli. Figure e sistema*, Le Monnier, 2005.

4. Malcolm Gladwell, *In un batter di ciglia. Il potere segreto del pensiero intuitivo*, Mondadori, 2005 (*Blink. The Power of Thinking Without Thinking*, Back Bay Books, 2005).

5. Timothy D. Wilson, *Strangers to Ourselves. Discovering the Adaptive Unconscious*, Belknap Press of Harvard University Press, 2002.

6. Wayne W. Dyer, *Le vostre zone erronee. Guida all'indipendenza dello spirito*, Rizzoli, 2000 (*Your Erroneous Zones*, HarperCollins, 1976-1993).

7. Carlo Maria Martini, *Lettere al cardinale*, «Corriere della Sera», 26 giugno 2011.

5. Totem

1. Giovanni Belardelli, *Giustizia: perché siamo indifferenti a chi viola regole e leggi*, «Corriere della Sera», 8 settembre 2012.

2. Mark Twain, *Libertà di stampa*, Piano B, 2010.

3. Ermanno Rea, *La fabbrica dell'obbedienza*, Feltrinelli, 2010.

4. Mario Sconcerti, *Se Schwazer si fosse comportato da calciatore*, «Corriere della Sera», 10 agosto 2012.

5. Luca Sofri, *Un grande paese. L'Italia tra vent'anni e chi la cambierà*, Biblioteca Universale Rizzoli, 2011.

6. Yves Bonnefoy, *L'addio* in *Quel che fu senza luce*, Einaudi, 2001 (*L'adieu* in *Ce qui fut sans lumière*, Mercure de France, 1987).

6. Tenerezza

1. Tom Hodgkinson, *L'ozio come stile di vita*, Biblioteca Universale Rizzoli, 2006 (*How to Be Idle*, HarperCollins, 2005).

2. Domenico De Masi, *Ozio creativo*, Rizzoli, 2000.

3. Friedrich Nietzsche, *Umano, troppo umano*, Adelphi, 1979.

4. Jonathan Franzen, *Libertà*, Einaudi, 2011 (*Freedom*, Farrar, Straus and Giroux, 2010).

5. Stefano Bartolini, *Manifesto per la felicità. Come passare dalla società del ben-avere a quella del ben-essere*, Donzelli, 2010.

6. Paolo Sorrentino, *Hanno tutti ragione*, Feltrinelli, 2010.

7. Luigi Pirandello, *Ciascuno a suo modo*, Biblioteca Universale Rizzoli, 2007.

8. Stephen R. Covey, *Le 7 regole per avere successo*, Franco Angeli, 2005 (*The 7 Habits of Highly Effective People*, Free Press, 1989).

9. Melinda Beck, *Drowning in Email, Photos, Files? Hoarding Goes Digital*, «The Wall Street Journal», 27 marzo 2012.

7. Terra

1. Fonte: Istat 2011.
2. Barbara Spinelli, *La prova del tifone*, «la Repubblica», 31 agosto 2011.
3. Dino Buzzati, *Scusi, da che parte per Piazza del Duomo?*, in *Due poemetti*, Neri Pozza Editore, 1967.
4. Cesare Pavese, *I mari del Sud*, in *Lavorare stanca*, Einaudi, 1973.

8. Testa

1. Luigi Barzini, *Gli italiani. Virtù e vizi di un popolo*, Biblioteca Universale Rizzoli, 2008.
2. Paolo Mancini, *Between Commodification and Lifestyle Politics. Does Silvio Berlusconi Provide a New Model of Politics for the Twenty-First Century?*, Reuters Institute for the Study of Journalism, 2011.
3. Intervento all'Aspen Ideas Festival, 30 giugno 2012.

Gente, storie e musica che gira intorno

Indice